情報化・電動化・知能化のリスクマネジメント

～「中央統制」対「自律分散」～

槙 祐治

幻冬舎ルネッサンス新書

220

はじめに

先端技術へのアプローチ

二十一世紀の先端技術の中心には、人工知能(Artificial Intelligence)があります。しかし、一般の私たちにとっては、ＡＩの具体的な内容や社会的な影響を理解するのは簡単ではありません。日々進化するＡＩを論理言語と捉えるか、あるいは機械計算と割り切るかなど、機能的なＡＩを創り上げるための要所で使う価値判断や要素技術は多種多様になると思われます。逆に言えば、創り上げる側の人々にとっては、プログラムのロジックをどう組み上げてどう使うかという手法や目的によって、ＡＩに組み込まれる価値観や判断基準は千差万別に変わってくるのではないでしょうか。

天才が百人いれば百台のＡＩがあるとシンプルに考えたほうが、現実の日々の中で働き、遊び、食べて寝る生活を送る自分のような普通の者にとっては馴染みやすいと思いました。コネクトームと名付けられた人の脳や筋肉の神経組織の驚異的な生命の働きを、コピーやロジックで再現することはそれほど簡単ではないと思われます。だから、本当に「知能」と呼んでいいのでしょうか。「人工」と冠をつける意味は実は大きいのかもしれません。生命である「ヒト」というライフフォームの知能の一部を映像的に模倣することや、機能的にほぼ100％同じ動作をするようにプログラムを近づけることはできても、「人」としての知能そのものを再現することはできないのではないでしょうか。再現という言葉を使いましたが、認識・判断・動作という過程をアーキテクチャとして組み上げることが再現ではありません。ロボットと表現されても、それが機械、即ち無機物としてのマシンの場合は、電気信号の直列的な指示により再現性は高い精度で実現されています。そうは言っても、常温における狭い環境設定の範囲内での動作結果が同じだということでしょう。しかし、有機生命体の知能と動作の関係は再現性が冗長であり、昆虫から人へと知性が上がれば、その再現性の振れ幅は大きくなります。他にはない感情が人にあるからでしょうか。あるいは感情がその振れ幅を抑えて、再現性が壊れて振り切れてしまうことを止めているのかもしれません。カタルシスを起こすのか、カタルシスによりライフフォームとしてのサステナビリティが維持されているのか、原因と結果という論理的なアプローチでは理解できないような気がします。心理学の難しさは、人の一人ひとりに向き合う臨床ベースでの救いが求められているからのように思えます。

それで私は、人が絡む実務上のリスクへの対応を行うときには、論理演繹的な実体の再現性を追求せずに、再帰性というスパイラル経験則的なアプローチをとることにしました。同じような状況で同じように判断して行動するかもしれないけれども、一人ひとりの行動は違うということです。同じような状況で人が違う行動をしたことについて、違う認識を持ったか、違う判断をしたか、行動プロセスに障害があったか、などと論理的な要因を突き詰めることをやめました。

人の行動としても存在としても、生命の個性を課題とする限り、人の脳と同じ人工知能は完成しないでしょう。再現性に欠けることが遺伝子の個性だとも言えるような地球環境の中で、完璧な自己再現性を持つ人工知能はやはり人の脳ではなく、機械、即ちマシンだと思います。しかし、脳神経系の機能だけを取り出せば、もしかして伝達神経としての通信の機能上には個性がないかもしれないので、脳の知性だけを再現または写し取ることができるかもしれません。それがインテリジェンス、即ち知性の意味なのかもしれません。そう考えれば、割と気楽に、まさに知性という意味での人工知能は、多くは効率的な記憶媒体と計算装置であると言えないわけではありません。このように、私は会社の実務を長くやってきて、万能のように言われる人工知能という言葉に単純な疑問を持ってきました。効率的ではあるけれども、冷たいし、端数を切り捨てるような気がします。仕事を奪われるとか、勝手に意思決定されるということよりも、多数を押し通すからです。

そして、新型コロナ禍が世界を襲った二〇二〇年、米中間の対立は地政学的に決定的なデジタルデバイドをもたらす恐れのある節目を迎えました。覇権争いの象徴としてスプリンターネットとも呼ばれる、そのデジタルデバイドの行き着く先はどうなるのか、日常における最先端技術の性質とその社会的な影響や企業に与えるリスクについて考えてみたいと思います。

身近な生活に係わる領域は情報化・電動化・知能化の三つとしました。それぞれの領域は分野の定義レベルそのものがそれぞれ異なっていますので、次元の違う三つの領域を同列で言うことはほとんどありません。しかし、この三つの領域は重なり合っていますし、各要素技術の開発が進めば進むほど、今後はさらにお互いに深く関係してゆくでしょう。将来、三つの領域のクロスドメイン（領域横断）作用として発生する複雑なリスクについては、一個人や一企業で社会的な対応策を見いだすことは困難となる可能性が高くなると想定しています。従って今のうちに、各領域の特徴に沿ってマネジメントしやすいと思われるリスクのマクロ的な枠組みを設定してみました。柔らかい対立概念を設定してみるアプローチです。

それが、「中央統制」対「自律分散」というシステム概念です。政治的には全体主義と民主主義、経済的には統制経済と自由経済、社会的には管理社会と自律社会というように、情報化・電動化・知能化の各領域における安全保障やセーフティネットに深く係わり、デジタル的には「0と1の対立概念」に相当する枠組みとして使っています。人の脳と身体の関係で言えば、脳は統制型、身体は自律型と単純に考えてみます。ただ、脳と身体の連携やバランスという状態こそが大切ですので、政治・経済・社会としてのあり方もそのような対立軸の緊張関係にあると考えています。

従って私自身は、0と1のデジタル化がもたらす対立概念は遺伝子の二重らせん構造のようにどこまで行っても交わらないものの、実は相互に影響しあうことで0と1の間の世界を「生命の揺らぎ、動機」として物質を成立させていると感じています。「正・反」がもたらす「合」のような状態が物理的に常に存在するという考えです。従って、近い将来には、光、即ちフォトンの観測技術と素粒子の研究によって、0と1の間を拡張する量子コンピューターが人の脳に近い状態で生成され、表面的には機械の0と1の羅列にしか見えなかった「揺らぎ」の関係性を見える化し、炭素による有機生命体のエネルギー回路を物理化学的に証明してくれるものと信じています。その発見のためにこそ、国を挙げて機械工学・物理・化学などの業際を越えた広範な科学研究をアジャイルに（同時並行で）追求すべきでしょう。やはり現場・実務の世界では領域の区別なく、何が起きているか、何を見るか、そして何がリスクかを要素技術ごとに考え抜くことが大切であり、その結果として抗えない時代の変化を想定し、個人や企業として対応する思考力を身につけることが必要だと思います。変わりゆく世の中の流れから幅広く要素技術の特徴を抽出し、少し離れて周りを回って眺めることを通して「変化の本質に対する動体視力」を持つことです。例えば、生命の揺らぎは争いでもあれば調和でもあると考えられます。自分が動けば見えてくる世界は絶望にもなれば希望にもなるのではないでしょうか。

情報化・電動化・知能化のリスクマネジメント

～「中央統制」対「自律分散」～

目次

第四章　リスクマネジメントにおける

第五章　社会信用システムと

DTP　落合雅之
編集協力　青龍堂

序　情報化・電動化・知能化の発展段階

二十一世紀の先端技術開発のメインストリームを単純に三つのフェーズに分ければ、二〇二〇年までの情報化フェーズ、二〇五〇年までの電動化フェーズ、そして二〇九五年頃までの知能化フェーズと想定している。二十年、三十年、四十五年とそれぞれの開発フェーズが50%ずつ長期化するだろうとの予想の根拠は、二十世紀に起きた機械を基盤とした電動化の進捗と異なり、当面は半導体が構成するセンシングやアクチュエーターの要素技術に係わる細かな開発競争となるためである。即ち、半導体の小型化・省電力化に伴い、二〇二〇年以降の電動化や知能化においては、その要素技術ごとの実験結果が分散化し、その観測と分析が著しく困難となるからだ。結果的に「ヒトという生命体とのインターフェース」が重要な技術評価基準（Criteria）となる今後は、個体または個人によって、あるいは研究者によって実験結果に対する判断が千差万別となるだろう。

これまでの技術フェーズの流れを考えると、今世紀前半は情報化から電動化へ、そして後半はいよいよ本格的な知能化へと、段階的にナノ技術のレベルを上げながら進むものと想定できる。二十世紀に機械化から電動化へと移ってきた「機械による電動化社会」を基盤として、今世紀前半には「情報による電動化社会」として本格的なナノ物理化学研究の世界に入るだろう。日本には現時点でその物理化学の知見があり、研究開発では得意分野だが、やはりこれまでの情報化フェーズと同じように、そういった先端研究に係わるビジネスモデル化やマネタイゼーションが不得意である。それは欧米の機械化文明の視点では大量生産・大量消費を基本としてビジネス化されてきたことに日本が遅れているという意味でしかない。今後のナノ世界での物理化学を追究してゆく世界では、その大量生産・大量消費文明の正反対を行く必要があるからだ。ある意味、日本は情報通信化に一周回以上遅れたことにより、「機械による電動化社会」の束縛を受けずに「情報による電動化社会」の構築に向けて一から挑戦できると言ってもよいだろう。その先端技術の根幹がナノ物理化学である。

欧米や中国においてこの二十年間に飛躍的に進んだ情報化が、これからのモノの電動化の意味をモノやコトの情報化であると誤解させてしまい、モノの情報化が電動化の意味となっている。また、コトの情報化が知能化であると、取り違えた意味で進もうとしている。しかし、そのようなモノやコトの情報化は、ヒトの課題に差し掛かった瞬間に限界を見せ始める。情報化はカネを動かしながらモノを動かす電動化と相まって、最後には情報と半導体による知能化が生きている人との相互関係に及んでいくと想定できる。そのとき、機能としてのヒトに近づくための技術は米中がビッグデータで模索する大量データログ情報アプローチではなく、人の現場の動きに寄り添った個性化データを抽出して「データと人の関係づくり」を行うマッチング技術となる。日本古来のヒトに係わる物理化学的な探求心だけでなく、日本が生んだ新しい文化、サブカルチャーであるアニメーションなどのデフォルメの中に端的に象徴されるヒトの個性化こそが、生物としての「ヒト」に近づき、そして心を持つ「人」に寄り添う最適な手法だと言える。情報化・電動化の次の知能化に真摯に迫るためにこそ、回り道をしてきた日本の個性的な物理化学的アプローチが役に立つ時代が来ると信じている。

振り返って、情報化・電動化・知能化それぞれの技術フェーズに対応する技術の入れ物、即ち、テクノロジー・アカウントは、それぞれカネ・モノ・ヒトに象徴される。

情報化はデータログの活用が鍵となる。そして極端だと思われるかもしれないが、大半は結果的にカネと言えるし、マネタイゼーションの目的がそうでなかったとしてもなお、データログはカネに行き着く。現代の資本主義社会、あるいは共産主義社会、いずれを見ても、もはや物々交換はない。東西冷戦末期の東欧が当時のソ連と原油のバーターをモノで行って破綻していった世界はもう遠い昔のことだ。その前の大航海時代、あるいは帝国主義時代から情報よりも機械文明が資本蓄積することでモノの機械化軍事力の拡大へと突き進んだときであっても、最終的には物質的繁栄の要素であるモノをどこかでカネとはき違えたために、領土拡張や支配の現実は大義を失っていったはずだ。

そして今や、「デジタルによる情報化」の席巻により、カネを介在させたデータログの目的が国家をも巻き込んだマネタイゼーションの世界となった。私欲はもちろんのこと、社会福祉・公共の利益のためといえども、国や地方公共団体、そしてNPOや財団などの活動はすべてカネである。こう言ってしまえば身も蓋もないのだが、情報化の実務はカネなのだ。第一章「情報化がもたらすフラグメンテーション（断片化）」では、大量のデータログが生み出す情報分析が外部経済化してゆく現在のディスインフレーション経済構造とそのために低迷する景気循環を提示し、そして世界共通の課題となりつつある国家資本主義における通貨主権の行き着く先を描きたい。

同時に今後の「情報に基づく電動化」はエネルギーの活用が課題となる。ハードである半導体の飛躍的な発展は情報化社会をもたらし、情報がカネを生むという世界を人々の身近で実現させてきた。電気でモノが動く、それが電動化であるが、これまで機械としてのモノの電動化には多大なエネルギーを費やしてきた。半導体の小型化や省電力化が大量生産に結びつき、大量の機械を電動化してゆく。希少金属に行き着く半導体を改善する要素技術は、0と1のデジタル化のもとに加速してきた。そのために機械の大量生産で必要な多大なエネルギーを費消し、半導体による情報に基づく電動化はそれぞれの機器の使用においてもさらに大量の電力を必要とする。このような力押しの電力需要がこの二十一世紀の便利で効率的な社会を機械文明の行き着く先として地球の一部に作り出してきた。その旧世紀から続く機械文明の壮大な実験が人口十四億人を抱える中国だ。国民全員が便利で快適な生活をおくるための電力エネルギーは遠からず破綻する。破綻しないためには地球上の資源を取り尽くすほどの大量生産・大量消費となる恐れがある。二十世紀の機械・電動化文明の延長線上で、生き残りの実験をしているようなものだろう。十年以上前から、将来の電力需要を満たすために五十以上の原子力発電所の建設を進めてきている。日本で三十年以上も前から構想されてきて今や破綻した高速増殖炉などの原子力エネルギー再生回路が技術的に確立されない限り、欧米のありものの技術でエネルギー大量消費文明を築いていこうとする中国がその長期計画の中央集権的大義名分をいったん降ろすことができない限り、いつかはエネルギーの限界が来る。情報化の段階とは異なるモノの電動化の領域において貧富の格差をなくそうとすることは単純にそういう技術的な課題に直面するということだろう。第二章では、「電動化が直面するオートノミー」と題して、エネルギーの限界に対するいくつかの課題対応を提示してみたい。

最後のフェーズである「知能化」とはヒューマンの活用のことである。人工知能への疑問はヒトが個別に解決することになるだろう。つまり、汎用人工知能ではなく、機能別の人工知能の開発を生命機能である「ヒト」と共存させることで、より効率的な省資源循環をもたらすことができる。技術のエコへの応用というよりは、技術そのものがエコであるべきだ。それは機械文明のエコではなく、感情を持つ「人」に寄り添う物理化学的なエコ社会とそれを支える要素技術を追求すべきだろう。そのためにこそヒトと機械のインターフェース、「ヒューマンマシン・インターフェース（HMI）」の要素技術を追求すべきである。それはヒトとマシンを繋げる情報化技術でもあるが、それ以上に感情を持つ人とマシンが共存するための社会の構築となる。省エネで昔に戻ろうということではなく、省エネの最先端マシンと一緒にエコに暮らそうということであり、最先端技術が切り拓く新しい社会の有り様だ。第三章「知能化とヒューマンマシン・インターフェース」として、いくつかの仮定を構想してみたい。

第四章以下は、情報化・電動化・知能化が一体となってもたらす社会変革の中に現れるリスクを中心に、ミクロのサイバー空間や金融の信用構造、そしてマクロのデジタル都市システムのあり方と地方が自律的に生きる方策などについて、これからの日本人と日本企業が対処すべき課題を明確にしておきたい。なお、将来の重要な社会的リスクにどう対応するかについてご興味があれば、第一章から第三章までの各事象の解説をとばして第四章から読んでいただいても問題ないと思う。そのために第四章の二節目に「情報化・電動化・知能化の帰結」として第三章までの総論を記載した。また本書の最後に付記として、本論に基づく自律分散型地域構想の考え方と研究方法をレジュメにしてある。第五章などの参考にしていただき、将来の知能化社会を考える一助になれば有り難い。

第一章　情報化がもたらすフラグメンテーション（断片化）

「通信技術の変容と信用リスク」

いつの時代でも技術の発展は利便性をもたらすと同時に、新しいリスクも生んできた。なりすまし詐欺に始まり大規模な資金ファンド詐欺など、通信を使った多くの事件を目の当たりにされたと思う。スマートフォンやＬＩＮＥによる通信技術の発達は通常の販売や生産だけでなく昔風の詐欺をも現代的に効率化させ巧妙にしてしまうことが、私たちの見た通りの世の中なのだろう。最近は特に企業・金融システムのハッキングを通したデータ抜き取り・改ざんなどのサイバー攻撃が多発し、普通に生活している私たちが従来は信頼していたはずのデータの取り扱いも既に安全性が脅かされている。サイバー攻撃とその防御の狭間で破られない暗号はないというデジタル社会の状況では、量子を制御できない限り顔認証は常にフェイクが作られ、静脈認証や虹彩認証も一度流出すればパスワードと違って一生変更できないだけに取り返しのつかない事態になる。このような漠然たる不安を抱えたままデジタル化推進を押しつけられても、私たち一般市民は日常の生活の中でどう対処していいか分からない。一人ひとりの将来のリスクに備えるためにも、情報化という技術が社会的にはどのような方向性を持ち、その中で次々と生み出されるリスクの本質をどのように見るべきかについて考え続けてみたい。

振り返って通信技術のイノベーションということでは、二十世紀末のＩＴバブルが記憶に新しい。ちょうどニューヨークに駐在していた私は、この時期のＩＴというものは便利な通信技術の進歩だと考えていて、まだ情報技術という処理そのものの変容を理解していなかった。日本国内の会社に勤務していた人たちのＩＴへの理解はもっと軽いものであったかもしれない。既存のプログラムが二〇〇〇年に停止するかもしれないとの専門的な問題が大きく取り上げられる中、実際、当時は「Ｅメールでやりとりするよりも電話のほうが手っ取り早い」というビジネスマンも珍しくなかった。

最初にＩＴバブル崩壊が表面化してきた事象として、通信ベンチャー企業群に係わるインサイダー株式取引というものを目の当たりにした。いくつかの通信ベンチャーは、技術の偽りにより、あるいは、売り上げの過大計上により、破綻していった。その中でも最大規模の事件がエンロンの粉飾だった。通信ルートの売り上げについて、ひとつのルートの通信回線キャパシティの一部の契約だけでその通信回線のフルのキャパシティ相当分の売り上げを計上するという手法であったが、当時の旧技術に対する解釈の範囲では、過大な解釈も粉飾ではないと申し開きすることも可能だった。新領域に対する価値の解釈が常識を越えて拡大されたために結果的に粉飾とされた事例と言える。だが、後に当エンロン事件が契機となって成立する米国サーベンス・オックスレー法のうえでは、意図的に（intentionally）、または知ったうえで（knowingly）行った過大計上に対して厳格な罰則を適用することとなった。エンロン事件の調査において、その技術的な解釈を議論した記録が当のエンロン社内と担当する会計事務所に残っていたことが新しいルール制定のきっかけとなった。シカゴ及びテキサスでエンロンの会計監査を担当していたアーサー・アンダーセンは世界屈指の会計事務所であるにもかかわらず、エンロン事件解明の過程で事務所の解体に追い込まれた。

このときのもうひとつの偽計は、「関係会社（Related Party and/or Interest Entity）」を使った二重信用の生成だった。エンロン事件の少し前に、ニューヨークの不動産会社がカリブ海に二つのペーパーカンパニーを作って節税したケースでは、米国歳入庁（ＩＲＳ）がその海外デュアルカンパニー方式の違法性を訴求した事件があった。そのデュアル方式も活用して、資金の動きが分からないように、財務諸表上の表記が工作されていたと言われる。例えば、ペーパーカンパニーを通して資金を提供することで、ペーパーカンパニーへの資金の出し手である関係会社から見れば融資だが、そのペーパーカンパニーからの資金の受け手である当該企業からすれば出資（資本金）と見做して、当該企業の自己資本が充実されているように株主に対して見せかけるのである。その後、米当局は親会社と一体と見做す関係会社の範囲を出資比率10％から実質的影響力基準（Substantial Test）へと変更し、ペーパーカンパニーを通した脱税などの行為を抑止するようになった。

このエンロンの事例では、前者の通信技術に係わる解釈判断に対する二重性と、後者の金融技術での財務表記上の二重性という、いずれも信用の二重構造を作り出して利用した。まだ通信回線技術の発達という前世紀の段階でこのような信用の二重性が起きた。そして、その後の二十一世紀に入ってからの情報処理技術がデジタル革命とも言われるほどにソフト・ハード両面が変容した中では、その最先端技術が生み出すリスクは二重性などよりもっと多層かつ複雑になった。世紀末のエンロン事件における信用の二重性は、現在直面する情報化リスクの本質をやや古い過渡的な形で現したと言えるのではないだろうか。

「情報化がもたらす社会の二極化」

エンロン事件に代表される新技術における信用の二重構造は、デジタル革命の起点となるスマートフォンを通してインターネット・ウェブサイトや検索エンジンなどのアプリケーションの登場により、まさに複層的に、表から裏まで何層にもわたって発生したと認識すべきだろう。通信回線のキャパシティの一割の契約をしてその回線の十割分の売り上げを上げることは、その回線の契約を0か1かに区切るからである。また、ペーパーカンパニーを経由した資金は出し手から見て融資であっても借り手側では資本であると会計上で処理できるのは、1を0にするようなものだ。信用の二重構造が発生するとき、そこの原理には0か1かという二分法の論理が介在する。0か100かという一般的に使われる用語と同じであって、割り切ったほうがその後の行為を正当化し、かつ行動の過程を制御しやすくなるからだ。ロボットを機械で言う通りに動かすことと同じだと言える。

例えば、財務諸表監査における重要性基準（Materiality Test）の適用も、関係者に対する賛否（Yes/No）のヒアリングで判断していては、基準が機械的・総括的になり、信用の二重構造の罠から逃れられない。たとえ、経営に影響するある重要な事象の発生確率を、0、20、50、80、100％と五つに分類してみても、断面的な元の判断が賛成か反対かという二者択一の固定性によって結果的に二重構造を発生確率ごとに五通り生み出しているだけだ。発生確率を五つに分類するのであれば少なくともその発生確率分布によってどう対処し、責任をどうするかまで決定しておかなければ、当該事象を0か1で判断していることの言い訳にしかならない。

そして、0か1で判断できる時代は、デジタル革命による情報化の進んだ今、後に述べるように二〇二〇年からモノの電動化が急激に進む時代には過去のものとなるだろう。翻って、過去の二十世紀は情報の「非対称性」と言われた時代である。それは「知らないか、知っているか」の0と1の二つしか選択肢がないことを歴史的に証言し、かつ、その二つの間の選択で事足りた時代の懐かしい言葉のように思える。つまり、論理的な0か1かのデジタル思考の持つ欠点がまだアナログな実社会体制の現場によってカバーされていた良き時代であったとも言える。今後はその二重構造、敢えて言えば賛否の二極化は現場でカバーされることはなく、極端な対立軸や議論できない状況を招くことが多くなるだろう。従って、デジタル社会の本質は二極化に向かいやすいということだと認識しておいたほうが世の中のリスクに対応できるのではないだろうか。

「デジタル化の本質」情報の拡大と共有は何をもたらしたか

アナログ社会は数値と言語と映像により急速にデジタル化、即ち0と1のデータログに置き換えられることになった。その結果として本来なら知っている人と知らない人がいるという状態の「情報の非対称性」は消えるはずである。金融の事例で言えば、情報をすべて取り入れた政策決定や中央銀行に代表される経済合目的な金融操作はすべて金融市場で裁定されること（Arbitration）により、国際通貨は安定し、金利は実体経済の適正水準に収まるはずだ。実際、二〇二〇年までの超低金利時代と言われる日本の二十年間も、米国の最近十年間も多くの事象に対する政府・中央銀行の対応は合理的であり、社会的事件や大きな災害にもかかわらず、金融は安定してきたと言えるだろう。いわゆる実証データに基づく最適政策決定（ＥＢＰＭ、Evidence Based Policy Making）が、金融においては実行されてきた。これは金利の低下も経済実態には直接効かないような金利の罠に陥ったデフレの時代だからこそ、国債・通貨を大量に発行する量的金融緩和策により景気を直接管理できたと言っても過言ではない。

このように、市場の金融経済政策から見た情報デジタル化は、情報の非対称性をなくすことによって、大量生産・大量消費に基づく市場裁定の効率化を通した相対価格の下落（ディスインフレーション）を起こすと同時に、実質潜在成長率以下の局面では量的金融政策の有効性（EBPM効率）を高めていると言える。ところが、デジタル化による情報の拡大と共有化は、一方で市場経済の安定化に寄与しながらも、他方では深刻な問題を引き起こしている。最近の政治的特徴としてマスコミなどでも取り上げられるポピュリズムと国家資本主義の台頭である。

個人が意見を言える社会は自由で民主的だ。しかし、そこにルールを支える価値観の共有がなければ、単なるポピュリズムとなってしまい、形の上で「民主的」であればあるほど将来に向けた政策決定はできなくなり、価値観を共有していない「自由な」社会では身勝手な言い放しの混乱に陥る。そうなると、今までも見てきた通り国家は何とかして国民の意思を尊重したような目先の決定を優先するようになる。経済政策だけでなく、対外政策にも同様の手法が採用されるようになり、国家資本主義とも言うべき、アメリカファーストや共産党一党支配の国際化を政治的に標榜することになった。二十世紀末のグローバリズムは情報通信の発達により情報の国際化が進んでいる状況を反映していたが、今世紀のデジタル化による情報の国際的拡大と共有は、価値を共有していないことを明確化させ、アンチグローバリズムを強化することになった。デジタル化によるポピュリズムがアンチグローバリズムを生み、目先の技術経済戦略を優先する国家資本主義を育成したと考えている。ここで国家資本主義のリスクを論ずる前に技術的なデジタル化の性質に立ち返って、今そこにある技術がもたらす情報化の誤謬について考えておきたい。私たちが容易に陥る落とし穴だが、そこは溢れるデータ情報に惑わされることもなく危機感もなければ、デジタル社会の日常としては意外と心地よいものなのかもしれない。

「0と1のデータログがもたらす誤謬」 可逆性と不可逆性の理解

二十一世紀に入って加速的に進む情報化は、要素技術としては電化におけるデジタル化の進展であると言える。即ち、電気によってすべての事象を0と1のデータに分けることから始まり、半導体が新しくなるたびにデジタル化の精密度が増していく。0と1のデータログが精密になるほどに、そのような0と1の分類及びその組み合わせの二進法の羅列が、ある事象のすべてを表していると誤解させる傾向を助長していると考えられないだろうか。

私たちはデジタル化がある事象の全貌を必要十分に表象していると勘違いしやすい。その誤解のうえでは、逆に、デジタルデータの0と1の羅列から現実が生み出されると考えてしまうかもしれない。つまり、ある事象のデータ化は一部を表象するだけの不可逆的な数値化であるにもかかわらず、可逆性があるものと誤解して、データログから現実が再現され得ると考えてしまう。人が仮想現実を仮想とせずに実物と見做すことの誤謬は、デジタル速度と精密度が高くなる今後にこそ留意が必要なリスクの本質だと思われる。国民すべてが以前ならちょっと感覚が異なるのではないかと感じていたはずのオタクの人たちと同じ感覚でデジタル情報に接し、そしてなんとなく対応してゆくことになる恐れがある。特に、仮想現実（VR、Virtual Reality）や拡張現実（AR、Augmented Reality）ならまだしも、現実と仮想を一体化した混合現実（MR、Mixed Reality）として、現実と仮想がスムーズに結合したときには私たちの生活の中で現実の認識を保つことは決して容易でないだろう。いわゆるイディア（観念的実在）を自ら思考することもなく目の前に与えられるのだ。

後に説明する電動化と知能化の段階でそれぞれ検討するが、例えばモノやヒトの場合で考えてみれば違いは明白だ。電動化の領域では、モノであればカネで買ったものを値段は違ってもまたカネにすることはできる。あるいはモノをデータ化してそのデータからモノを作ることもある程度可能だ。再販価格のように仲介するカネとしての値段が状況変化に合わせて違ってくるだけであったり、再現性のように仲介するデータの精度の問題だったりするだけだ。しかし、知能化の領域では、ヒトをデータにしてそのデータからヒトを再構築し再生することはできない。つまり、最初のヒトのデータ化は、センシングがどのように精密化されても、一部分のデータ化しかできないだろう。ヒトの細胞三万個のゲノムをすべて人工的に作り、脳の構造をシナプスレベルから物理的に同じモノで構成しても、生命体であるヒトにはならない。知能は身体を持つ生命だからであり、知識というデータとは異なるレベルだと思う。

このように、特にカネ・モノ・ヒトの各領域をまたぐ不可逆性が情報化の限界であり、データログを使うことに可逆性があると誤謬しやすいことがリスクである。言語に加えた映像の進化が、飛躍的に実世界の再現性を高めたとは言え、やはりデジタル情報化は実世界の表面的な一部分でしかないことにこそリスクがある。表面的に見えている映像を高密度でデータ化することはできるが、それは本当に見えている世界なのか、対象の分子・光子の奥行きまで見えているのか。情報処理技術が飛躍的に進む中でも一人ひとりが現実のその場において常に問うことでこそ、その事象の本質に迫れることは昔も今もそしてこれからも変わらないのではないだろうか。

「情報化のマネタイゼーション」　信用の仲介と数値仮想アバター

現代の情報化の特徴は、情報の領域間での不可逆性を避けるために情報化がカネ、即ち金融に帰結し、情報化の本質と同様に金融の信用も二重構造にすることだ。

そしてそれは、現代資本主義では、民主主義国も共産主義国もカネが世界の価値化、即ち経済成長がすべてと考えてしまうという、ある種のループ・スパイラル的な無限の自己矛盾に陥っている。かつて技術が文字でしか表せなかった時代には、貨幣は交換価値の表象として相対的な価値を共通に表現する文字の道具でしかなかった。にもかかわらず、二十一世紀にさらに高度化したＩＣＴ技術は、ある事象を表すデータ情報をカネに置き換え、マネタイズできる手段に特化した機能として、金融の信用構造を二重化するためにしか用いられなくなったかのようだ。

英仏のワーテルローの戦いの勝者をいち早く英国ロンドンまで伝えて、知っている者と知らない者という情報の非対称性、つまり現実社会に存在する信用の二重構造を使って利益を上げたと言われるロイズ保険の話は、今は昔の物語である。一瞬で世界中に伝播されるデジタル通信の世界では、ある一定の領域で信用の二重構造を人為的に作り出さなければ情報の非対称性は生まれない。つまり、利益はない。

従って、コミュニケーションの間に架空の人やアバターを入れる、いわゆるペーパーカンパニーや信託を通して行為者から離れたところで信用を仲介させること、あるいはより直截にフェイクニュースやなりすましという偽装などによって人為的に信用の二重構造を作り出す。

このように、0と1にしか分けられないというデジタルに対する公正性の信用が一般に流布された結果、逆に信用を二重構造にしなければ儲からないという帰結に囚われてしまった。そのことにこそ、現代資本主義がＩＣＴ技術の飛躍的な発展によって国家としてのセキュリティを求めれば、そしてその本質としての金儲け、計画した経済成長を成し遂げようとすれば、囚われの国家資本主義に陥ってしまう道筋を敷いたとも言える。景気に対する金利引き下げ効果が失われるゼロ金利のトラップどころではない。金利トラップを凌駕して余りある、技術進化による現代貨幣論が仮想の通貨を発行する時代である。通貨も国債もデジタルで刷ったことにすればよいとの議論になる。

逆に言えば、情報化を野放しにすれば国家や通貨主権を守る中央銀行ですら何が嘘か真実か分からないという二重信用の時代に突入し、その最大の要因が自ら進める情報化技術にあるという矛盾だ。発展途上の技術がもたらす社会的均衡に対する矛盾と考えてもいいのではないだろうか。信用の二重化に伴うリスクが生み出す弊害は将来も含めて表に出てこないのかどうかも今は分からない。技術の日進月歩を考えればこの発展途上の段階で通貨主権における情報化を論理的に議論し、デジタル通貨の二重信用と同時に物理的な現金通貨の存在意義と通貨データ構築のためのサーバーの設置場所を安全性の観点から検証すべきだ。

カネというアプローチで信用の二重構造を作り出した情報化は、国家や企業、そして個人の対処すべきリスクを複雑にする。すべては、デジタル情報が現実の事象を表すという誤解に基づくものであるにもかかわらず、その誤解の世界ではそのデジタルリスクに対処しなければならない。これが本当の仮想というものではないだろうか。仮想通貨や仮想現実という言い方がされたが、仮想通貨は暗号資産と言い換えられる。では、仮想現実は何と言い換えられるべきか。現実もどきと言うが、やはり仮想現実は現実ではない。映像におけるデジタルとアナログの世界は違う。デジタル映像は実像の構造点を組み上げたものだ。アナログ映像は実像の構造点を写し取ったものだ。計算とコピーの違いであると言える。映像におけるデジタルとアナログでも違うのに、デジタル映像と現実像はまるで違う。目も違う。デジタルカメラと人の目は違う。

情報化の内容は事象のほんの一部を切り取って、デジタルなら0と1で再構築し、アナログなら解像点の写しである。

しかし、カネのデータログとしての世界から、モノを動かす現物の世界に目を移すとき、そのデータログは0と1の分類だけでいいのか？　それが次の時代の電動化、すべてのヒト・モノが動ける、動かす、移動する世界にはヒトの筋肉と同様な数式の自律分散化が必要なのではないか。カネの世界も仮想通貨のように自立化を目指す動きがブロックチェーン技術を使って活発化し、中央集権体制のデータログである国家通貨、ひいては国家主権への挑戦を続けることになる。中央集権体制は本来バラバラになることを内在させた0と1の電子化をとりまとめようとする儚い動機のもとに技術経過的に成り立ってきたと考えられないか。0か1のフラグメンテーションが情報化の帰結であり、それを対処的に回避しようとする中央集権化がカネというデータログの一部を使って試みられてきたことが十八世紀以来の資本主義の短い歴史であると仮定するなら、マルクスの社会経済史論としての金融と労働の上部構造・下部構造の設定は正しい。上部構造が0と1であるなら、下部構造は0と1の間である。上部が中央集権的であるなら、下部は自律分散的であるべきだ。

二十一世紀に入ってからの科学技術の話題と言えば、まだまだ情報通信技術であり、その象徴として人工知能（ＡＩ）が常に出てくる。しかし、機能的に特化したＡＩはまだしも、汎用的に社会に対応できるＡＩというものは本当にあり得るのだろうか。

「縦のデジタルデバイド」　情報リテラシーと貧富の差

機能的に特化したＡＩと言えば、翻訳機やお掃除ロボットなどが親しみやすい事例として挙げられる。他方では、ＡＩの機能が進めば人の仕事を奪うということも叫ばれ、従業員は漠然たる不安を持っているが、企業経営者は効率化やコスト削減を進めるためにＲＰＡ（Robotics Processing Automation）を導入してゆく。そのことにより、ＡＩが仕事を奪うという不安を煽る話も多い。つまり、縦のデジタルデバイドとして、端的にはプログラミングの分かる人と分からない人の間の収入が二極に分断され、貧富の差を拡大させると言う。

確かに業務のＡＩ化が企業で進めば掃除や食事づくり・皿洗いなどの機械的作業のみならず、翻訳や資料検索・企画設計などの知的作業に至るまで、人的作業の相当部分をＡＩで代替することで省力化し、人件費を主体とする固定費用を削減できる。しかし、それは機械であれソフトであれ、これまでもやってきたオートメーションを使う効率化でしかない。業務の効率化が所得格差を生むのだろうか。実務として否である。経営者が効率化によって得た利潤をヒトに投資せずにカネにしておくことで、失業が発生し、所得格差が広がるだけのことだ。そして、カネがカネを生むという金融投資や渉外広報的な便益への誤解によって外部経済に依存し、経営者は短期的配当を目指す投資家からスリムな経営と称えられて、ますます資本というものを目先のカネの蓄積だと誤解してゆく。だからこそ情報通信やＡＩのような先端技術が変革されるようなときほど、長期投資家の目線に基づく研究開発や人材育成などの経営のサステナビリティ追求が重要になる。日本の普通の企業がエンロン化しないためにも経営者には妄執に囚われない常識とそれを担保する仕組みが必要だ。コーポレートガバナンスの目指す方向はまさにサステナビリティであると言われる所以だ。

所得格差を生むと言われる縦のデジタルデバイドを経営者が自ら社内で克服してゆくことこそ、企業がどのような変革の時代にも生き残ってゆくための基礎的要件だと思える。効率化で余った人を切り捨てるのではなく、将来の会社への投資として何をなすべきかを一緒に考えて悩むべきだろう。そこにこそ単なるオートメーションという効率化ではない本当のＡＩ、人工知能のインテリジェンスの有用性が見いだせるのではないだろうか。チャップリンの映画「モダン・タイムス」は技術の本質を突いている。縦のデジタルデバイドは経営者や従業員が克服できる分断であり、人々がマシンを使って知性でお互いに結びついていく有り様を考えさせるきっかけに過ぎない。

「フラグメンテーション」断片化の本質

しかしながら、一方では、資本主義競争の先へ先へと進みゆく情報化の表層では、0と1の二極分化への回帰性向を持つデジタル化が、人の織りなすアナログ世界にあった情報及び情報の操作性に内包された非対称性を越え、誰もが得られる情報で世界をグローバル化すると見せかけて実は一気に断片化させてゆく。まさに社会的な縦のデジタルデバイドを超えて政治・経済・文化のフラグメンテーションをもたらすのである。政党の多党化、経済決済手段の多様化、あるいは伝統文化の衰退とサブカルチャーの台頭は、従来の二極で捉えたような、縦の社会におけるメジャーとマイナーや、横の社会における右派と左派、縦と横に共通な保守と労働、横の資本主義と共産主義、対立する財政黒字と財政赤字、資産と負債、融資と借入、移行段階の言語と映像、小説と映画、写実派と印象派、歌舞伎とアニメなどなど、社会の縦と横において対立または移行概念として認識してきた事象をそれぞれの極でデジタルに切り刻んで断片化させることで成り立つ。それは、デジタルを通して個性に近寄ることで生じる不可避な分極化のうえに成り立つ部分的集団化であって、価値は相対的なままであるため非常に不安定な状況となる。大きく二つに集団化した分極ではなく、完全に一人ひとり、一つひとつに寄り添えばデジタル化は完成する。それが分子・原子レベルであっても、「個性」を発見するということである。

個性とは何か、情報化における個性は、細目化されたどの段階で発生するのか、そこにデータログの個性と活用の道が見えてくる。個性の見える化は、0と1の二極分化に陥りやすい情報化では、将来の最先端技術を以てしても極めて難しいと言ってもよいのではないだろうか。右や左といった集団化された表象では個性に近づきようもなければ、相対する二極の共通性すら見落としてしまう。それが0と1のデジタル化の誤謬の本質である。つまり、定義によって二極の集団化を位置づけることに対して、実務では一つひとつに見入らなければ個性を認識できない。そこにアナログでもデジタルでもない0と1の間の世界がある。量子としての光子・素粒子などが織りなす新たに見えてくる現実世界と言ってもいい。

ここに至って初めて、データ主権という言葉を語ることができる。近年の身近な世界では、パーソナルデータの取り扱いにおいてデータ主権が俎上に載る。日本の個人情報保護法や欧州のGDPR（欧州一般データ保護規則、General Data Protection Regulation）、あるいは近年ではWeb上で忘れられる権利なども含めて、データ主権が議論になるが、財産権や人権と異なり、データそのものに主権があるのかどうかはまだまだ曖昧である。しかし、企業や人に結びついて財産権や人権に係わる場合にだけデータ主権を認めるのであれば、それはデータそのものの主権ではない。ましてや、国家としてのデータの管轄権の問題でもない。データ主権の本質はデータログの個性の問題であって、仮にデータを抜かれることで財産権や人権、あるいは通貨主権や知財に係わる国益が侵害されると言うのであれば、それはデータを介した実行行為の違法性や侵害性でしかない。

デジタル化の本質は断片化と言えるけれども、それはデータログそのものの個性を否定するものではないだろう。人や企業、あるいは人権や財産権、知財権に結びつけなくとも、近い将来データの個性を暴くことはできるようになる。

例えば、ブロックチェーンを使って、プログラムの一行一行を名付けし、相互認証できるようにしていく。それだけで、誰がどのプログラム行を作成し、その行の位置づけや役割は何かを明確化、つまりアイデンティティを明確化してくれる。それがアイデンティファイ（識別する）ということであり、個性を確認するということでもある。このようにプログラムであれば、0と1のある羅列がどこにあってどういう働きをしているかで識別されるという個性化で足りるだろう。しかしもう少し先では、そのプログラム行が属して機能する機器や人体との関係で特定化され識別されることによって個性は分子・原子レベルまで及ぶことが可能になる。そのような先にこそ、炭素に基づく遺伝子とタンパク生命反応の解明がある。デジタルのプログラムの個性が普通に発見・追跡できるようになってこそ生命に少し近づき、そのときにようやく本当の知能化技術への一歩が拓かれるのではないだろうか。それまではまだまだ、人工知能と呼ぶことはおこがましいのかもしれない。

「横のデジタルデバイド」　スプリンターネットの世界

情報化の現状に立ち戻ってみると、デジタル化は米中対立の地政学的な横のデジタルデバイドに直面している。情報通信やインターネットだけであればスプリンターネットと言われるように、中国のネット情報囲い込みに対して米国もようやく対抗措置をとることで、閲覧情報やアプリが米国圏と中共圏で分断されるという、これまでにも東西冷戦などで見られたグローバルな二極構造になるだけだ。

ただ、デジタル技術において想定される東西冷戦はそう簡単な分断にはならない。なぜなら、デジタルそのものに断片化性向が内在しているため、それぞれの圏内でも情報通信は分散化する。そのとき、それぞれの勢力圏内の分断を嫌がる統制派は権力の行使による情報統制に入り、自由派はバラバラでよしとする。中共圏内での国家安全維持法の施行と域外適用は統制派の典型であるが、米国圏内ではそれぞれが勝手にやればいいという自由派の自国ファースト論になりやすい。

従って、米中で横のデジタルデバイドとなる姿は、表面的には米中での統制対自由、独裁対民主のような二極対立軸となりそうだが、それぞれの国内でも同様な相似現象を抱えて分裂しているのがデジタル社会の当たり前の姿だろう。表面だけで語れなくなっているからこそデジタル技術革新のもたらす本質を理解し、当該国での人の繋がりや価値観にどのように影響しているかを冷静に分析する姿勢が大切だ。それぞれの国家が内外に強権を発揮しても、どちらもデジタル化進展による分裂の潜在的な危機を抱えているからだ。そのとき、統制は極限まで行く恐れがあり、周辺国を巻き込んだ極限での崩壊は壊滅的となる恐れがある。逆に、自由は足下から分裂し、統制に利用され、統制の崩壊に巻き込まれるかもしれない。

だが、そのような従来のアナログ的なシナリオはもはや描けないかもしれない。デジタルの世界でそれぞれが持つフラグメンテーションは、それぞれの圏域の政治・経済・文化・軍事などの多層の領域においてそれぞれ別の道を辿り、国の中で関係領域における集団化された個性が重なり合って併存する可能性もあるからだ。単純に政治は米国、経済は中国というようなシンプルなサンドイッチではないだろう。だからこそ本当のデータ主権を今から探し求め、技術的にアイデンティファイすることで、デジタルであっても各個性に迫る必要がある。仲間かどうかを判別するためである。敵も味方も分からない姿の見えない世界でうごめくようになってしまっては、透明性も公正性もなく、国家やＡＩも含めた誰に対しても信用が失われ、価値観の共有も不可能かつ協調行動のとりようもなくなってしまうだろう。

それは、０か１かの選択だけをバックデータすらなくて迫られるという、デジタル無限地獄に近い。信用が薄れていけば、ネット金融詐欺やなりすまし、現在のＳＮＳで見られる誹謗中傷ですらも見逃されるという、顔の見えない世界がどこの国にもすぐにやってくるということだ。信用のための相互認識「アイデンティファイ」が必要なコミュニケーションが顔の見える世界に限られるようになれば、その顔の見える世界を技術的に確立すると同時に、顔の見えない相手を探すのは国だけでは難しく、顔の見えない相手に接近された企業や本人が自らその相手をあぶり出すことも可能にする必要がある。

接近拒否の戦いこそ、分散した集合体・企業や個人にとって自衛のために必須技術となる。

第二章　電動化が直面するオートノミー

「エネルギーの多様化と省エネ化」

エネルギーの多様化が叫ばれて久しい。かつて、アメリカ元副大統領のアル・ゴア氏は地球環境保護に係わる「不都合な真実」を出版し、気候変動対策のための二酸化炭素（CO_2）削減キャンペーンを展開したが、それから二十年経っても国連のサステナビリティ目標達成はほど遠い。日本ではそれほど報道されていなかったが、米国に駐在していたビジネス関係者や投資ファンドが注目していた政策があった。グリーンベルト構想と同時に打ち出した情報スーパーハイウェイ構想である。一方で環境破壊の進行に警鐘をならしつつ、他方では先端通信技術を追求しようとしていた。その両者に共通する技術要素が電気だった。

つまり、環境領域では電力エネルギーの脱化石燃料化、情報通信領域では北米全体の効率的な電力ネットワーク化であり、ともに生活用品のモノとしての電動機器すべてに直結する電力マネジメントを目指していた。環境は民主党、産業は共和党と一部で色分けされることもあったものの、米国の政策担当者は二十一世紀を見通したとき、研究開発の方向性に技術的な節目を見いだしていたことは間違いない。大量生産・大量消費に頼る二十世紀型の機械化文明は中国が近代化するにつれて、CO_2の将来的な排出量増大の観点から中長期的な限界が見えており、二〇三五年には気候変動による海面上昇が大陸沿岸部の多くを水没させるとされた。その対策のための省エネ方策のひとつとして、系統電力供給を通信ネットワークに乗せて効率的に配電することにより、化石燃料に頼る火力発電量の低減を目指した。しかし、このような配電・通信一体化の有線ネットワークを通して環境問題と情報技術革新を結合させる効率化社会の構築に向けた努力は失敗に終わったと言えるだろう。

まず、配電網のネットワーク化は短期的な成功を収めたものの、CO_2を発生する火力発電を減らすため補助金による電力エネルギー源の多様化が実行された。太陽光や風力発電が増加したが、結果的に日当たり発電量が大きく変化するようになった。同時に社会的な機器電化の進展により電力消費量自体も増加するという事態によって、系統電力をネットワークで効率的に配電することはより困難となった。電力供給量の変化に対する蓄積技術、つまり化学である蓄電池の技術が追いついていなかった。カナダからアメリカにかけて築かれた複雑な系統電力配電網のダウンというブラックアウトも最初の段階では何度か起きた。

一方、化石燃料の世界ではCO_2を減らしながら効率的に発電する新技術を開発することによって石炭・石油・天然ガスの消費を減らすと同時に、そのエネルギー供給源に新しい国内産シェールガスが加わってコストダウンされていった。サウジアラビアが原油生産におけるスイングプロデューサーとして価格をコントロールしてきた時代が急速に崩れた。米国はエネルギーの主力であった輸入原油から国内産シェールガスへ大きくシフトし、一方で中国が原油の輸入大国として登場し世界のエネルギー価格形成に加わるようになる。情報化から電動化に向かう局面で現れた電力需要の構造的な変化は、人口増加も含めた地政学的な勢力図の変化に晒されることになった。資源もなく人口も減少し始める日本自体の脆弱な状況はまさに二十一世紀前半に情報化から本格的な電動化に向かう技術的な革新に翻弄される立場にいるということを、私たちは米中の対立を考える前にまず認識すべきだと思う。

また、情報通信分野では二十一世紀に入った途端、前章で述べたITバブル崩壊後に逆にデジタル化が急激に進むことによって、通信の主力は有線ネットワークから第三次インターネット技術の民生開放を通した無線ネットワークへと移った。だが、現在の技術では無線での大規模通常配電はまだまだ難しい。ということは、系統電力における配電網の効率化は、情報通信ほどはこれからもそう簡単には進まないということだろう。

従って、発電エネルギーの多様化はデジタル無線通信化と相まって、大量の電力供給を続ける中では供給サイドからCO_2を抑えることが限界的になったことを露呈した。だからこそ国際社会は国連主導で急速にCO_2排出を量的に制限し、炭素税導入案などのCO_2排出に対する懲罰的課税の方向へ舵を切った。しかし、環境問題における量的制限では必ず出てくる先進国と発展途上国の対立の中、最もCO_2を排出するようになる中国をどう規制するかは、特にオバマ政権下でなおざりにされてきた。それは国連の意見をまとめる多数決主義が中国外交の介在によって、中国を規制対象から外してきたからである。環境問題に端を発する中国に対する国連の無関心設定に成功した中国は、その後、二重為替制度問題、自治区人権問題、軍事的領土拡張問題など、次々に戦術的シンパ国の拡大を通して、結果的に国連の多数決を実効支配するようになったと言える。自由だ、投票だと、手枷足枷をはめられた欧米諸国は中国の統制した経済成長の恩恵を貿易を通して得ることで中国の全方位拡張主義を見逃してきた。だが、いよいよ一帯一路による広範囲な戦略構想を目の当たりにして、そしてまたコロナ禍の状況で香港での一段と権威主義的拡張を推し進める中共の態度を見て、さすがに見過ごせなくなったのだろう。

二〇一七年の夏頃から、急激に浸透する中国ソフトやアプリに対する危機感が米国内にも拡がり始め、その後、米国は着実に中国が取得した知財権の在処とサイバー部隊の機能をアイデンティファイしてきたと言える。これが情報化における横のデジタルデバイドを決定的にする事象ではあるが、実は依然として、情報化と裏表の関係にある電動化に関して米国の動きは鈍い。先に述べたように、電動化はエネルギー問題であり、電力供給と需要のバランスが戦略的課題となる。情報化のデジタル課税のように、電動化でも炭素課税でカネに換算して抑止効果を出そうとする手法は、中共の思う壺にはまるだけだ。なぜなら、デジタル課税も炭素課税も中共の支配下にある中国系企業はマル無視すればいいからだ。つまり、欧米の課税権は中共に及ばず、その支配下・傘下企業はいくらでも代替企業に脱皮して活動を続けることになる。環太平洋パートナーシップ協議（TPP）にて「政府系企業（National Entity）」に対する規制または競争条件の国家間協議を義務づけることは、欧米と中共の体制の違いを明確化させるものであり、正しい判断である。

一方で中国は電動化において、エネルギー・環境問題の国内政策として、早くにEV（電気自動車化）などを打ち出してきた。電力源においては、先に述べたように十年前から原子力発電所五十基を追加設置しようとしている。中国の国内状況を見ると、情報化を進めて国家を中央集権的統制体制におくためには、無線機器やカメラ・ナビなどのモノの電動化も必要であった。即ち、中共支配統制に都合のよい情報化と電動化を進めるとどうなるか。大量生産・大量消費の二十世紀型機械文明の延長線上で、ありもののデジタル技術とありもののエネルギー源でまかなうということでもある。米国は中共の対外拡張的情報化の資金源と資本、そして知財権を調べるだけではなく、中国がグーグルを排除したように米国からテンセントやバイトダンスを締め出して、米中間での横のデジタルデバイドを作り上げる。そのとき、その情報化のデバイドのそれぞれのツールである電動化製品はどうなるのか。米国で認証される半導体以外は使えないというデジタルデバイドのうえでは、電動化も結果的に分断されるのが当然だが、米国は貿易という領域で本格的にモノの中身・品質を交渉材料として使うことを検討しているのかどうか、あるいはその電動化製品の分断の有り様を見通しているのか、トランプ政権に続き民主党の主張でも不明である。

そして、その電動化領域での米中分断に係わる不透明性は、エネルギー問題の分断そのものである。石油の輸入大国としての中国は、石油が不足した場合の対応は可能なのか、あるいは、CO_2削減に消極的だった米国も含め、欧米がエネルギー転換を進めれば、米中間での資源の奪い合いは起きないのか。レアメタルが必要なくなる先端技術への方向転換はどう進めるのか。中国との情報化・電動化領域における分断を行った先に、異なるエネルギー構成での東西社会になっていくのか。米中分断の中、近い将来、日本は電動化における省エネを自らのエネルギー資源問題の安全保障として厳しく問われることになる。南シナ海シーレーン防衛を自ら掲げるか否かという選択は、今後十年の日本の電動化技術の方向性にかかっている。情報化において米中が完全に分断できたとしても、電動化においてはCO_2削減にはそうそう賛成できない米中は、大量生産・大量消費の電力消費社会を続けることによって資源エネルギーの争奪を二国間でも行う可能性は高いが、一方で米国は化石燃料の範疇でもシェールガスで優位にあるため、一気に原油封鎖もありうる。つまり、米国は中近東と東アジアの両方と緊張状態であっても、その二正面作戦を遂行する可能性が高い。そのとき日本は、自らの中東産原油を長い海路、しかも中国の一帯一路の中でのシーレーンを自ら防衛できるものだろうか。一刻も早く、日本のエネルギー自給率の向上を目指した省エネ電動化政策・省資源要素技術の研究開発が必要だと考える。

「電動化における財産権の確立とオートノミー」

電動化エネルギーの供給源に制約があるのであれば、電力の消費面である電動化の各端末（ノード）において省エネ化してゆく必要がある。次期モビリティにおけるエネルギー課題は機械電動化では限界がある。たとえ半導体の消費電力を十分の一にしても、今後の情報化ではデジタル競争だけでも恐らく百倍以上の個数のしかも高性能化した固体半導体が使われる時代が来る。計算スピードは何億倍ということであっても、総量として今より十倍の消費電力が必要になるのでは、資源の乏しい稀少金属を使って省エネ・高速計算量を増大させても、電力量削減という目的では焼け石に水となる。さらに進んで、本格的な知能化技術へと移る局面では、より小さく、より速い、省エネ化合物半導体が無数に必要となるだろう。

それは、今の半導体技術とは異なる次元での電動化が必要だということだ。機械文明やデジタル情報化の延長線上で繋がってゆく電動化の限界を超えるためには、量子コンピューター、それも汎用量子コンピューターを集中的、いや中央集権的に成立させることである。計算速度や計算量の圧倒的な優位性は国家に一台あれば足りるものだ。その一台への電力投入量を最小にすることこそ、将来の情報化と電動化の基礎を築くことになる。しかし一方で、個々の端末における消費電力の削減を達成する必要はますます大きくなる。そのためには、光子（フォトン）やＡＴＰ代謝という物理化学の世界のエネルギー要素技術についてさらなる解明が必要だろう。

そしてそれは知能化へと繋がる情報化と電動化の技術となる。電動化の観点から見た生命体としてのヒトは、30ワットの頭と１００ワットの身体のエネルギーで自律的に考えて動けるとも言われる。これほどの効率的な省エネルギー体はない。なぜ、私たち日本の工学機械技術者は生体反応における自律的な電動化・知能化の技術の再現を目指さないのであろうか。生体反応について医学や生物学だけに任せておくべきではない。情報処理技術の発達によって医学は薬学に取って代わられる可能性が高いのなら、医学も化学から物理へ、そして機械情報化へと遡りながら、ヒトの省エネ構造に迫っていくべきだ。そのときの留意として、機械の電動化は所有権が明確にできるが、生体の電動化は所有の帰属を特定することが難しくなる。0と1で電動化されればデータログとして所有タグをつけることが可能な一方、連続的生命反応で自律的に動くモノをどうパーツ分類していいか、要はデータログとしてどこで身体を切っていいか分からなくなるかもしれない。そうなると、ヒトと同じ単位でアンドロイドとしてのモジュールにするしかない。そのアンドロイドに名称をつけて所有することが考えられるが、知財権はそのアンドロイドという大きな物体の中で融合してしまう。好きで融合するわけではなく、どこで切るか分からないから溶け合ってしまう状態なのだ。所有権が分解できない、辿れない、部分的には機能しないような、融合する情報化・電動化・知能化モジュールは、インフラを整備して公に提供すべき領域である。これがカネでもモノでもヒトでもない、将来の社会が提供すべきセーフティネットとなる。

例えば、情報化プログラムでのオープンソース・アーキテクチャーなどは、透明性と公正性を担保するために、公益として国家が保護し、信用保証すべき対象である。しかし、現状のプログラム開発ではオープンソース基金が資金提供の主体となっているような欧州でも、その他の米国・中国でも、プログラム内容の保証はできない体制だ。つまり、オープンソースにおいて所有権が曖昧化してしまうことによって、仲介者に責任のない、かつ、誰が何を仕込んでも分からない烏合の衆のプログラムと化すかもしれないリスクをはらんでいる。情報化だけの段階であれば、そのリスクは情報流出やシステム停止により影響の拡散を止めることも可能だが、モノの電動化段階でのリスクは、直接に国民の生命・財産の危機となる。電気自動車（ＥＶ）車両やロボットや自律型アンドロイドが、完全に第三者に乗っ取られて操縦されるとすれば、それは市中で調達できる武器として規制対象になる。そうなる前に情報化の段階で、クリーンネットワークのもとに、「動ける・動かす・移動する」というモビリティの電動化を進めなければならない。

だからこそ、モノの電動化の詳細については、原子・分子レベルでの所有権を特定（アイデンティファイ）し、透明・公正に財産権を付与しなければならない。プログラムを見える化し、ブロックチェーンによりプログラム行を相互に認証させることで安全性を確保するという試みは、そのまま電動化における原子・分子の相互認証にまで及ばなければ意味がない。技術そのものはまっさらだが、使う人次第で0にも1にもなり、そのコントロールを遮断して0と1の間で個性に寄り添うように、人へのアタッチができるだけの自律性を確保すべきである。その意味でのオートノミーが、これからの本格的な電動化社会に必要なセーフティネットの本質となる。

「強いロボットのデュアルユース」

いわゆる産業用工作機器など、大量生産オートメーション用の工場据え付け型のロボットは、決められた作業を行うだけのマシンである。動力源は油圧もあればガソリン・ガスなど、パワーの出る化石燃料が主流だ。人にできない作業を行うために、ロボットの代替機能と拡張機能を最大限に引き出すことが、マシン開発の目的であった。クルマ・トレイン・シップなどの運送手段も同じである。しかし、今後三十年間のデジタルデバイドの先には、情報が細分化され、所有権の明確な個別電動化が進められることで、大量生産から個別生産への転換が避けられず、機能別ロボットは効率化で一つひとつ消えてゆくだろう。現在の機械文明信奉者から見れば、ＡＩが人の仕事を奪った先では汎用型機械が機能別機械の仕事を奪っていくことになる。

それは、カネを中心とする情報化領域のフラグメンテーションがモノの電動化モジュール要素の所有権を確定させることで、人々はセーフティネットとして提供される汎用型ロボットの個性を自らが自身の責任において与えてゆくことでもある。機能特化型ロボットの没個性マス社会から、汎用型ロボットの有個性ミニ社会へと、情報化・電動化の位相が変容してゆくことになる。従って、平時では工場オートメーションでありながら有事の際には必要な場面に応じて戦う機能機器は減ってゆき、平時に使われる汎用機器として生活を支える個性化されたロボットが増えて、有事の際には自分にアタッチされたそのロボットが戦うことになる。それは、自分が戦うということだ。デュアルユースの究極は、国民一人ひとりが日常生活のセーフティネットとして所有し、自分自身を反映させていった個性化ロボットが平時・有事の区別に関係なく、自分のバディとして「動ける・動かす・移動する」モビリティを実現することである。セーフティネットとして一般生活の基礎レベルで汎用的能力を身につけたロボットが、農林水産業、工業、サービス業など、各種の特殊技術や機器を必要とする作業の中から選択した機能を専門領域として設定し、マスター（主人）である人と一緒に生活し、働くことはできないだろうか。それこそが、独立した端末機器として端末単位で電動化を成し遂げることであり、系統電力の資源エネルギー問題に対して、端末サイドが人に寄り添う個性化を身につけることによって、電動化における省エネを追求することができる。少なくとも日本は中央統制の大電力社会ではなく、自律分散の省電力社会を目指すべきだ。

「ロジスティックスとオートノミー」

中央統制型の系統電力においても、また、自律分散型の端末機器としてのロボティクスにおいても、電動化に係わる材料・部品の兵站、つまりロジスティックスの課題は二つある。一つはマクロ課題として、系統電力の多様化の限界が米中の間の分断を生み、先述した地政学上の資源エネルギー調達における自給・自衛というオートノミー問題が発生することだ。だが、もう一つは産業電動化のミクロ課題として、将来的に知能化へと繋げる電動化のための要素技術が機械分野から物理化学領域へと大きく変容することを前提に、国内外ともに物流体制を根本的に作り替えなければならないことだ。この物流ロジスティックスの課題は、物理化学の要素技術の汎用性を確保することに他ならない。つまり、これまでは部品・製品として運送する物流体制を如何に産地から生産地・消費地へと大量に効率的に運べるように組み上げるかというモノのコストの問題であった。だが、今後の地域分散型電動化の主流となる個別の化学材料・資本機材など、現地で必要なものを如何に完結性を以て必要なときに精製・調達・製造するかという、逐次兵站を成立させる計画が重要となる。

つまり、電動化の端末（ノード）単位での省エネに向けた技術開発は、これまでの一ヶ所集中大量生産方式での物流の対局にある現地調達・現地生産・現地消費の電力循環を目指すことになる。いわゆる電力の地産地消は、機械動力としての小さな水車小屋や風車小屋の発想に戻ることでもあるが、そこに省エネ物理化学研究が必須となるだろう。３Ｄプリンターは金属を含めて原材料さえその場にあれば、情報通信だけで事足り、材料・部品・製品の物流そのものが不要になる。逆に言えば、電力をかけてまでその地にその製品が本当に必要なのかを日々問うていくことになる。

電動化の必要性を生活レベルに沿ってモノやカネに化体してみれば、基礎的生活収支、経済的活動収支、政治的行動収支と考えられなくもない。基礎的生活収支は個人として食べて寝る生活を維持するレベルであり、セーフティネットとして生活汎用ロボットで対応する。しかし、個人を維持する生活以上の生産を行うと、他との関係を持つことで、アダム・スミスの言う自由貿易と同様に余分な生産物をトレードし、カネやモノに変え、そして再投資する段階に至る。経済的活動収支は再生産投資の段階の循環となる。そして、再生産投資を超える余剰を持つことは、経済であろうが政治であろうが関係する他者を支配する政治的行動収支を持つということになる。それぞれのレベルに必要な生産装置の電動化と電力量を如何に削減して、物流ロジスティックスとして地域完結性を持たせるかが重要だ。通常の拡大再生産における仕入れを拡大して生産量を増やすという、財務諸表で言う資産負債の両建てで増やしていくことは、これまでの系統電力に基づく大量生産方式と変わらなくなる。他者・他国への依存が起きるので今後のフラグメンテーションの進む世界情勢においては、電動化のロジスティックスの持続可能性（サステナビリティ）の観点からは好ましくない。

モノとしての電動化オートノミーには、透明性・公正性に併せて、文字通りに独立性を必要とする。国家間の相互依存性を前提とする現状の経済とは異なるアプローチであり、平時・有事にかかわらず、独立性を保てるかが重要なリスク判断指標となる。

「弱いロボットとモビリティ支援の実装」

弱いロボットとは何か。強いロボットが個人生活におけるモノの電動化に独立性を与える存在として登場することに対して、弱いロボットは当該関係性を持つ個人との間でのみ、相互依存性を発揮する存在であると言える。代表的な弱いロボットということでは、慶應大学の先生が説明されている。アームも何もついておらず、ただゴミ入れを背中に背負ったルンバのように、広場の清掃で動き回るが、ゴミの前に行ってただウィーンウィーンと震えると、広場を歩いていた人が、ああゴミを入れて欲しいのだと思って、手で拾って入れてあげる。それが弱いロボットだ。人は見たいように見ると言われるが、大阪大学の先生の話される通り、足下でうなっているこのロボットはゴミを入れたいのだという相手の立場に立つ、その心理的な反射効果こそが人の関係性の根幹だろう。だから、家で飼うペットだけでなく、工場の生産ラインに据え付けられた機械ロボットにも名前をつけて精一杯手入れするようになるのが人だ。名付けや生物距離内に入るなど、人それぞれが個性化信号を付与することによって一対一（P2P）の心理的協調行動が可能となる。これこそ、機能的に人の能力の拡張や代替を行う強いロボットとは違う次元にあり、弱いロボットの本当の必要性だろう。情報化における集団心理などとは異なり、電動化の本質はあくまでパーソナルなものだと言える。だからこそ、先にも述べたように先端技術研究はヒトの生体反応について医学を超えて物理化学的な電動化を目指すべきだろう。

このようにP2Pでの心理的相関性を前提とする弱いロボットにこそ、その一体ではできないことをヒトと連携協調して実行する「動ける・動かす・移動する」という自律型支援モビリティ機能を装備しなければならない。介護やリハビリ医療、子育てに家事支援と、適用すべき現場は多く、機能型の強いロボットのような専門的業務をこなすよりは、日常の生活における普段の人の動きをサポートしていくことで、その人だけの支援を提供できるように個性化させる必要がある。その要素は、第一に情報の独立によるプライバシーの保護であり、第二にその前提で、支援行動プロセスをその人に合わせて組み上げる自律化である。例えば、歩行リハビリを行うときには、脚力の衰えた初期には関節に負荷のかからないように脹ら脛の筋肉の代替と歩行バランスの調整を人工的に実施するものの、リハビリの段階で動き始めて歩けるようになってくれば、その筋肉代替で支援している人工筋力を徐々に減らして人に筋肉をつける方向を目指し、躓きかければ人工筋力で補助して倒れないようにしなければならない。つまり、リハビリ段階やそのときどきで人体からセンシングされる筋肉状況と症状・心理に沿って、筋力を代替するステップアップ誘導補助から次第に、筋力の状況に応じて最低限の補助を行うセイフティ補完支援へと切り替えてゆくことが大切である。これを一対一で連携協調するための自律型支援モビリティ機能とする。こうやって機能的にヒトを動かすことから始めて、最終的に人が自らの意思で動けるようになるまで、心理状況の変化も含めてその人に特化してアシストすることこそが個性化なのだと言える。この中でヒトという場合は複雑な生体反応のことであり、人と言うときには感情豊かな人間を指している。

この弱いロボットの実装段階に至ると、これまでの機械化の延長線上では端末機器でしかないロボットを大規模集積回路やモーター・バッテリを付けた金属の骨体幹により組み上げていっては、電動化が知能化に進むための省資源・省エネルギー使用からほど遠くなってしまう。拡張機能を主とする強いロボットでは、大方が作業用機器としての大きさや重量を兼ね備え、かつ、パワーを出すために動力源も電気だけでなく化石燃料も必要だろう。機器単位の端末で電化してもなお、その電力量をまかなう系統電力の供給体制は、大量生産・大量消費を前提とする機械化の延長線上にある。

しかし、弱いロボットは、人を支えるだけであり、人が下敷きになっても圧死することも怪我をすることもないように設計しなければ、身体としてのヒトも、気持ちとしての人も、例えば一緒にリハビリ活動などに励むことはできない。これは、強いロボットであっても、単独で作業する場合はまだしも、人と一緒に作業する場合には、専門機能を最大限に発揮するために人に怪我をさせないボディでなければならない。つまり、荷物運びの仕事や作業をしていて隣の人に当たっても、そのロボットが痛いと言わなければならないという安全性基準が絶対であることも前述の通りだ。アイザック・アシモフのロボット三原則は、単なるお題目でなく具体的に一つひとつの作業工程単位で細かくルール設定されなければ、安全とは言えない。ましてや、弱いロボットは、ヒトの生体と人の気持ちに常に寄り添うことでしか成り立たないのだ。

では、電動化の段階で必須となってくるその弱いロボットというコンセプトはどのように知能化へと繋がるのだろうか。前述した人とマシンとの共存がヒューマンマシン・インターフェース（ＨＭＩ）を開発する目的だが、次の章ではそのＨＭＩが具体的に見える形となる場面を想定して知能化のプロセスを考えてみたい。

第三章　知能化とヒューマンマシン・インターフェース

「知能化のアウトプット」

一般的に私たち企業で取り組むＡＩと言えばほとんどの場合は効率化を目的にして考えるのだが、ここではそのＡＩを手段として見ないで、まず世の中の知能化の目指すべき姿、社会的なアウトプットから考えてみたい。映画などと同じで、私たちは未来にどのような知能化社会を望むのだろう。そこからフィードバックするほうが、社会的な影響やリスクを検討するうえでは知能化に至るプロセスが系統だって分かりやすくなるのではないだろうか。なぜなら、現在の情報化そのものが人工知能（ＡＩ）と言うように、既に知能化していると考えて出発した場合、その先の電動化や知能化社会はすべて情報化の範疇で語られてしまい、モノやヒトへの実務実装に係わる拡がりが少ないからだ。マスコミや企業の周辺で話される仮想現実などの議論を見ても、情報化の領域がデジタル技術に押し込められてしまっていて、技術開発すべき領域としてはかなり窮屈な範囲でしか人工知能と呼ばれていないように思われる。

従って、情報化だけの領域で考えてしまうと混乱しやすいのではないか。情報化の主体であるカネの世界で誤解し、電動化の情報がモノに係わることで少し世の中への影響の実態が見えてくるものの、やはり知性を知能と勘違いしたまま、知能化の開発の方向性や領域を間違う恐れがあるだろう。身近なＳＮＳのなりすましや詐欺から始まり、米国の多様化に伴う対立の先鋭化や中国の中央集権的な監視の範囲の拡大に至るまで、現物に適用されるべき技術を誤解したまま情報化の中で見えない相手のうごめく世界を進んでしまう恐れがある。そうなると表面上のＳＮＳの混乱や分断、そして監視強化の成功に惑わされ、最終的に私たち人の気持ちの中で起きる変化を見過ごしてしまうのではないか。それでは形ばかりの安定はいつ消えるかもしれず、断片化した価値観の混乱を収拾できるとは思えない。だから、まず知能化の技術では何を目指すべきなのかを明らかにしたい。

端的に言えば、人に寄り添うＡＩが知能化だとすると、情報化では言語能力と計算力によってビッグデータから確率的に応答することは割に早い段階で実現できるだろう。だが、その個別のＡＩをその人個人のものにするという個性化のためには、ビッグデータに周辺を取り巻かれる映像・言語・身体情報でも不足だろう。ヒトの機能をセンシングするときの限界は、離れたところで他人の数億人から収集したビッグデータＡＩに当てはめたとしてもその個人のごく一部の０と１のデータログでしかないということだ。即ち、情報化では圧倒的な情報データログを解析して個人に送ることはできても、その個人からのデータが一部である以上、ある意味でその「ソーシャルディスタンス」をとったビッグデータＡＩが必要十分にはその人のために個性化しない。もちろん、優れたＡＩなのでそのＡＩが個人とは関係ないところで勝手に個性化するということはあるかもしれない。しかし、個人に寄り添うＡＩとしての個性化はできないだろう。だから、そのＡＩは独立的に端末（ノード）に入って、その限りで当該個人とデータコミュニケーションをとることが必要になる。離れていてもＡＩは同じだろうと言われるかもしれないが、情報化だけでできないことは、モノの電動化における「動ける・動かす・移動する」モビリティの現場における個性化対応である。前章での強いロボットなら、５Ｇなどの大容量通信を使って離れていても無線指示対応することで専門的機能の作業を完遂させることは可能だ。しかし、人を助ける自律型支援モビリティとしての弱いロボットのように相互関係を独立的に発展させていかなければ、プライバシーを守ったうえで人に本当に寄り添うことはできない。人のいる現場の経験を日々積み重ねて、過去も含めたデータとしての経験を対処しなければならないその場でもう一度繰り返し経験する必要がある。

なぜなら、ヒトとの接触による経験を個性として取り込むためには、例えば両腕両足の自律分散型知能を統合制御することで0と1だけでなく0と1の間の揺らぎをそのヒトの動きからコピーし、その反射として0と1の間でその人と接していくことが個性化の原点だからだ。人の心が割り切れないように、ヒトの生体反応としての自律的行動は意思だけで決定されるものではない。それが再現性のない個性を生む。個性とは二者以上の間の再帰性における相互主義の関係だと考えられる。言葉や表情のコミュニケーションはなくとも、ただ後になって振り返ってみれば相手の望むことをやっていたということだ。

それは社会的に与えられた単なる連携とか協調行動とかではなく、反射効果を幾重にも相互に映し込む意識の二重らせん構造とも言うべき一体化であることが、寄り添うための個性化となるだろう。その相互一体化の関係性は、情報化で言えば「顔の見える」相互通信ネットワークとなる相互認証ブロックチェーン技術を通して、また、電動化で言えば弱いロボットに適用されて「動ける・動かす・移動する」を補助してゆく自律型支援モビリティ機能を通して、現実の人の生活圏の現場に瞬間、瞬間で向き合う技術によって成立しうる。

それだけに、ヒューマンマシン・インターフェース（HMI）技術の目指す知能化領域は、あっという間に流れていく数億、数十億のデータログが行き交う中から、微かに光る砂をすくい上げてふるいにかけるようなものだろう。しかも、それを省エネ・省資源でノード（端末機器）単位でやれというのだから、そのような知能化の本質を追求する研究では人が神に見えてくるのだ。99・6％の確率で世間（ビッグデータ？）から正しいと思われる経験則に則った反応をすることは知性化であり、字句通りのインテリジェント（Intelligent）である。それでいいのかどうかが、知能化領域の技術進化の方向性を決定づける。確率的に残りの0・4％だが、その0・4％に新たな世界が広がるかもしれない。ダークマターを含めて技術として追求すべきではないか。透明性・公正性に合わせて独立性を必要条件として、個性化を十分条件として求めるP2Pの知能化社会を希望するなら、社会が進むべき道は違ってくる。次章以下で述べる教育理念と政治体制の選択には、根本的な個人個人の覚悟を必要とすることになるだろう。

知能化領域で「知性と知能」という言葉を仮に使い分けるために、プログラミング手法とその目的意識を探ってみよう。「情報化における知性」と「電動化における知能」、それぞれに対応させてマシンラーニングとディープラーニング、再現性と再帰性、あるいは、理性と本能というような対称性が分かりやすいと思う。そしてその構造は「中央統制」対「自律分散」である。その対称性と構造の対比は、電動化領域での強いロボットと弱いロボットの進化に係わり、将来のヒューマノイド基盤となるアンドロイド「未来のイヴ」を導き出すきっかけになることを期待している。次項からそれぞれの構造の本質を考えてみたい。

「機能特化型アンドロイド」マシンラーニングの再現性

現代のほとんどの情報化は、ビッグデータを解析することで傾向値を確率分布的に求め、原因と結果を紐づける作業となるため、如何にして集められたデータを高速計算処理し、原因結果の法則・ルール・方程式を立てるかが課題となる。従って、映像処理のように飛躍的なデータ量となってからこのかた、とにもかくにも計算を早くすることに開発資源が注力されたように見える。そして出てきたのはマシンラーニングであり、如何にデータを入力して結論を早く導くサブルーティンをプログラミングするかということの競争だ。ある研究では七十名のＡＩ研究者・プログラマーを集めたら、六十八名が計算処理のシステムエンジニアであり、ＡＩそのもののプログラミングを考える研究者は二名だったということもある。マシンラーニングでは投入データ量が多くなればなるほど、原因結果の相関確率は高くなる。だから、データ量がすべてであり、ビッグデータでも一億人のデータと四億人のデータではルールに基づいた結果を四億人のデータがより正確に把握できる。それが、99・６％の確率だ。通常の統計において標準偏差との乖離により計測した回帰分析では、61・7%以上の発生確率や相関性があればその後は人が判断するには十分だと言える。しかし、マシンラーニングは究極に近い発生確率、例えば99・6%の確率をビッグデータに基づく計算でたたき出せることによって人工知能と言われる。だからこそ、四億人の計測データはクリティカルマス（Critical Mass）と呼ばれる。情報化を通した産業における効率化の段階では、十分に競争力を持つ数値だろう。

そしてそのことによって、第一章の情報化で述べた誤解が生じる。産業活動のほとんどのことを「できる」確率を持つ計算が、個別の機能に特化すれば、ほとんどの場合その再現性（Reproductivity）に問題はなく、人間の作業より人工知能と言われるマシンラーニングのほうがずっと正確に連続的に再現しながら作業をこなすことができる。あらゆる場合にこの再現性を持つ機械プログラムを人は人工知能だと信じてしまう。定義の問題だと言われるが、正確な計算と帰納法的なルールと結論による再現性は人為的に作られた知性であって、知能（Human Intelligence）ではないだろう。知能は「動ける・動かす・移動する」能力とともにあるのだから、マシンラーニングは機械化社会で情報化における知性は実現できても、人を動かす個性を発揮することはない。従って、マシンラーニングを使って情報処理ができるようになって、世の中の表面上の法則を見つけ出すことが容易になったものの、一方でそれが知能だと誤解を生むことで、研究者が本当の知能への道を歩むことを閉ざす傾向がある。それが中央統制による計算処理の限界だろうし、多様な現象を多様と捉えずに一極ないし二極に集約した説明をつけることによって暴走してしまう潜在的リスクを持つのだ。

マシンラーニングはある個別の合目的機能、つまり、価値判断と目的が明確な環境でプラットフォームに使用されれば、圧倒的な能力を発揮する。例えば、医学で使うとき、様々な映像を読み込むことで傾向を見つけ出したプログラムは、新しい映像を高い確率で正しく判断できる。さらに、処理する薬品を化学分子単位で組み合わせることも可能であり、新薬が次々に創造される。今後の医療は、医学もこれまで通り重要だが、機械的機能特化型のロボットに代替され、さらにマシンラーニングＡＩが薬学を圧倒的に進歩させることにより、医学における薬学の役割は驚異的に大きくなるのではないだろうか。情報化のデータ解析とは、機能特化型ロボットの開発をあと押しすると同時に、データ中心主義とも言うべき数値信奉者を増やしていくだろう。そして機能特化型ロボットは、いくつかの機能を並列的に兼ね備えたロボットとなり、機能が付加されていけば、機能特化型アンドロイドとなる。

「ヒューマノイドとセクサロイド」感触の認識とは何か

単機能から多機能へとロボットが有能になるとき、人はそのロボットが人に近くなってくると感じる。人の能力を超えた拡張機能を備えたヒューマノイドへの信頼という自己幻想からだ。判断力と物理的能力が人間より優れているヒューマノイドを認めることになる。だが、それはロボットであり、かつて「未来のイヴ」で描かれた機械なのだ。人の形をさせることで、より幻想を強くし、自己暗示にする。自己暗示であることが分かる例がセクサロイドかもしれない。産業用・業務用ロボットが社会の信頼を得てヒューマノイドタイプになる頃には、裏で人間の願望や欲望を満たすセクサロイドが既に開発されているだろう。その時点の出来合いの技術で作成されるにしても、エンタテインメントにおける資金投入と熱意は大きく、情報化におけるプログラム技術は映像処理のゲームで進化した。電動化におけるプログラム技術は、映像に加えて接触などのセンシング感性処理によるコードを使ってモジュール化されるだろう。ここに、機械化の情報化が今ひとつ持ち得なかった接触センサー機器の発達を促すことになる。機械ロボットが多機能化してヒューマノイドタイプが望まれるようになる段階で、セクサロイドの一号機が人知れず誕生しているだろう。

だが、それはエポックメイキングである。時代の変節点はいつも周辺・周縁部（マージナルエリア）から要素技術の変革が始まり、それが徐々に中心部（センターエリア）へと浸透してゆくものだろう。人の願望・欲望というものは生ものであり、パーソナルな形で変形し、徐々に伝播し、個性のような顔をしながら浸透してゆく。技術は産業的には必要が生み出すかもしれないが、社会的には生活反応の一環として欲望を映し出すために技術が進化する。情報化では映像ゲームだったが、電動化ではセクサロイドと言ってもいいかもしれない。その感触型のセンシング分析やデータ取得技術はあまりに人間的過ぎて表には出ないかもしれないが、情報化で薬学にその座を追われかねない医学にとって大いに役立つものとなるだろう。つまり、医学にとっての人間学というヒトの生体反応のデータに新しい地平が見えてくるからだ。

「汎用型アンドロイド」 ディープラーニングの再帰性

そこまでの本当の個性的接触アプリの実用化まで到達して初めて、つまり、ヒューマノイドタイプとしての多機能型アンドロイドが人の信頼を得るようになって初めて、汎用型アンドロイドを求めるニーズから、汎用型ＡＩの開発が本格化するのだろう。その中心がディープラーニングだが、特に再帰性の概念を適用したリカレント・ニューラルネットワーク（ＲＮＮ）だろう。

通信の発達はマシンの無線遠隔操作を可能にしたが、ほとんどの場合は映像を見ながら無線操縦で動かすことだ。その映像をデータ化し、どの場合にどのように動かすかを学習させ、その駆動方法をそのマシンに入れ込めば、再現性によって自動化できる。この自動化は決められたプログラムで、想定範囲内のカメラ映像データやその他のセンシングデータを精密にすることで、状況に応じた機器の動きの再現性を高めることが可能だ。このとき、医療の遠隔手術のように、映像やその他のデータの中に、感触のセンシングデータを取り込み、遠隔して操縦する人にその感触を再現させることも可能となっている。その感触を持ったときに人はどう判断してどう行動するかをＡＩに読み込ませたいとき、マシンラーニングの結果は不安定となる。なぜなら、人の感触データには圧力や電流、熱などの弾性値に幅があるために、その冗長性のあるデータを一定の行動原因に転換しようしても結果的にインプット感触データとアウトプット行動データを紐づけられないからである。

従って、その現場データそのものの持つ冗長性をどう取り扱うかで、将来の知能化は大きく道を分けることになるだろう。第一はマシンラーニングを貫徹してとにかくデータを入れ込むことで一定の帰結を導き出すループタイプ、第二は冗長性に沿ってその場でいくつかのシミュレーションを試みてタッピングするので一定の帰結にならないサブルーチンタイプとなる。

ループタイプはどれだけのデータ入力があっても同じ計算処理を繰り返して、想定される（あるいは望む）期待ルーチンに沿わないデータを弾く考え方とも言える。つまり事前に価値観をセットしているプログラムなのだ。従って、データ量に基づく学習効果が表れるため、期待ルーチンの精度を高めてゆくことで、正しい一定の帰結を求めるようになる。もちろん、プログラム上はサブルーチンも設定されるが、それは寄り道であり、寄り道して期待ルーチンに戻ってこなければ誤差として切り捨てられる。あくまでループそのものを修正しながらもそのループに合わせたデータを見いだしてゆくので、中央統制型となる。ループを修正しなければある一時点の判断則・価値観を押しつけるプログラムとなり、違うデータはどんどん弾き出してゆくことになる。ある意味、人間が持つ奥底の、見たいモノを見るという心理の反映されたマシンラーニングシステムとなるだろう。だが、変化してゆく新しいデータを使ってルーチンの修正ができずに、その新しいデータを排除するようになれば、そのシステムは短期的には期待値に対する再現性を数量的に増すものの、冗長性の変化によって弾かれたデータが累積的に積み上がる場合は、外部環境変化による長期的な影響を捉えられず、さらにより多くのデータを弾くようにプログラム暴走する恐れが出てくる。中央統制とはそういう暴走リスクを抱えている。

一方で、サブルーチンタイプは冗長性のあるデータを取りこぼさず、現在のデータの相互間、及び過去と現在のデータの間の相関性を分析してゆくので、場合分けした枝分かれが膨大になり、結果的に選ばれた帰結がアウトプットとして一定しない、つまりなぜその帰結になったのか判然としないプロセスマネジメントのリスクを負う。いわゆるサブルーチンだったはずが、いつの間にかルーチンプロセスになってしまうブラックボックス化が起きやすい。しかしながら、ディープラーニングのように何層ものレイヤーを使ってニューラルネットワークのコピーを築けば、冗長性のあるデータに対する反応としては少なくともヒトの脳の働きに似てくるらしい。らしいというのは、マシンラーニングと異なり、ディープラーニングのブラックボックス的な多様な結果をもたらすことに人は感情移入できるということかもしれない。目の前のぬいぐるみに対する映像の反射効果が物理的刺激であることとは大きく異なり、コンピューターの判断に対する価値判断の反射効果が形而上的刺激をもたらすと考えてもよいのではないだろうか。人が説明する主義主張やイデオロギー、宗教観に至るまで、形而上的な不確かな、あるいは不安定な状態に対する同調性（シンパシー）は自己の内面の深いレイヤーにある欲求を反映していると言ってもよい。意識レベルでの価値判断だけでは割り切れない行動を人にもたらす、深層の欲求に基づいた価値を映し出すものが、理性でも感情でもない人の奥底にある。ニューラルネットワークで複層的に複雑に絡み合う関係性を論理的にルール化することは不可能であり、その場でアウトプットが異なることこそが各要素の関係性を意味づけるライフオブセンス（Life of Sense）として個性の基盤であり、人権の源泉である。だからこそ、人は何かを押しつけられるべきではなく、自由であるべきだ。ヒトが個性として思考と自己決定における自由を持つことは、まさにサバイバル・ライフフォーム（Survival Life Form）として当然でもある。

知能化とはライフフォームとしてのヒトに近づく作法であるが、同時に人の個性を発揮する冗長性に寄り添うことでもある。そのヒトとしてのライフオブセンスの多様なセンシングをどのようにデータ化して再現するかが、ＡＩの技法であるかのように捉えられがちではあるものの、先に述べたように、その冗長性、あるいは不安定性は如何に深い層のレイヤーに分け入っても機械的に再現できない。逆に、機械ルール化しようとすれば、深く入るほどに結果は一定の法則から離れてしまう。つまり、情報化の内なるフラグメンテーションの状態を明確にしてしまうだろう。さらに、電動化でモノを動かすこともできなくなる。

例えば、ＡＩによる自動運転をマシンラーニングで一方的にルール形成する形で実行しても、センシングデータの種類や量が多くなればなるほど、選択肢が多くなると同時にその選択から決定する要因を特定できなくなり、クルマはその場から動けなくなる。決められたルーチンを実行することに長けたコンピューターは与えられたプロトコルを実行できなくなると止まるだけだ。逆に止まらせなければ危険である。だから、ロボット三原則のような形で、ヒトに危害を加えてはならない、殺してはならない、自分の安全性を確保せよというプロトコルを設定したとして、クルマをAIが運転していて、まっすぐ行ってもハンドルを切っても誰かヒトにぶつかるか、または壁に激突して乗車しているヒトが受傷するかという設定にＡＩ自ら答えることはできない。各人の受傷状態の予測を元に選択順位を設定することまでは自らできても、仮にいずれにしてもＡＩも含めて全員が死ぬというときに、だめだと分かっていても、できるだけ被害を最小限にするためにＡＩはブレーキを踏み続けるだろうか、スピードを上げれば乗員は助かる確率が上がるということでアクセルを踏みはしないかなど、ＡＩは誰の安全を優先的に確保するのか、あるいは、そういう優先順位をあらかじめプログラムで与えておくかという問いになる。このように自動運転で典型的に問われる極端なケースであっても、実際に事前にプログラムに組もうとすれば、何億何十億もの選択肢となるだろう。

「再帰性における相互主義」（Recurrent Reciprocity）

それが実世界であり、その中でヒトの反応はよくやっている。なぜか。複雑な多種多様なセンシングによる自律的反射の積み重ねのうえに、その自律反射データを段階的に相互連携させてバランシングさせるような、自律分散処理とその段階的統合制御があるからではないだろうか。中央統制型のプロトコルがいちいち細かな選択をしていては、思考停止するか暴走するかというリスクがある。だから、ヒトは逆に、各端末筋肉などの自律反射とそのデータをまず左右の足同士、左右の腕同士で連携させてバランシングさせる。その自律的な左右の連携結果を、次に左半身は左で足から腕、首、脳へ、右半身は右で足から腕、首、脳へと段階的に連携伝達する。その伝達の間にも個別にその連携単位での自律判断を下している可能性が高い。感覚的には身体がセンシングした情報が神経だけではなく筋肉やリンパ・体液などのあらゆる媒介分子を通して首から延髄を通り、脳に入っても脳内各部のパーツパーツで判断をし、必要であれば最後に大脳の意思決定を待つということかもしれない。

従って、もう少し物理化学の要素技術研究が進んで素粒子や光子なども正確に観測できるようになれば、ヒトの二足歩行がすべての生体反応を物語るだろう。伝達も単に神経系だけではなく、どちらかと言うと脹ら脛の筋肉繊維（筋肉神経？）が大脳ほど考えていなければ、ヒトが自由に立って歩くことはできない。武術で相手の脹ら脛を狙うのは生体反応の基本だ。足から腕、首にかけても神経だけではなく、筋肉に血流や血管やリンパや体液など、すべての組成物が伝達し、連携していると考えてよい。衝撃の伝播ではなく、左の脹ら脛を打つと左脇腹のリンパに飛んで部分的な痛みが走ることも神経の伝達だけでは説明がつかないように思う。神経伝達なら順番に痛み情報が上がるだけだが、脹ら脛の筋肉から脇腹のリンパに痛みが飛ぶというなら、それは伝達ではなく脹ら脛と脇腹が瞬時に同調化していると考えられる。

少し戻って二足歩行中の筋肉の瞬間反応を考えても、左右の足が連携することは神経伝達では説明できないかもしれない。また、目をつぶって左右の人差し指の先を合わせて欲しい。頭で空間測位を考えていても手先は少しずれるが、指先で勝手に調整される。特に他の指を両手で合わせていればその他の指の位置取りによって正確な人差し指の合わせ方ができる。人対人における武道で型の修練が重んじられる所以だ。もちろん指先の感覚を頭に戻して頭の中でイメージング調整することもやっているが、考えることなく指先のセンシングと筋肉が勝手に、つまり指を合わせるという曖昧な脳の指令に基づいて左右の指先だけで自律的に調整している可能性もある。武道になれば手足という端末がほぼ勝手に動いている。その自律的なバランシング機能こそ二足歩行の要であり、左右の足は自らのセンシングと筋肉だけで的確な左右連携を行っている可能性が高いと言える。

かつて明治神宮会館に武道・合気道・鹿島神流剣術の天才として稲葉師範代が居られたが、その方は半眼における無の境地というものは型の修練から生まれると仰っていた。当時は何がどう繋がるのか分からなかったが、その後、金沢工業大学島崎先生の「空から見た世界」だったか、脳内で鳥瞰図的な視野を創生するメカニズムを解説した文章に出会って、なんとなく鳥がどのように瞬間的に獲物を追えるのかが分かるような気になってきた。そうなると今度は合気の練習において最初の一歩を踏み出せなくなった。武道における「先の先」「後の先」を習うときに頭で考えると一歩が出ない。これは困ったと思うのだが、一度考え始めると疲れ切るまで相手に先を取られるしかないのだった。ところが疲れ切った身体はある瞬間に勝手に動くこともあった。そのような生体反応の不思議は今に至るまで自分の中でどうなっているのか分からないままだ。単なる反射神経とは異なり、相手の動く前に身体が勝手に動いたことがハマルということでしか表現しようがない。合気とは気合いではなく、相手の気に合わすこととよく教えられたものだが、まさに自己の体内及び別の個体である相手との同調性がどこから来るのか分からない。だが、感覚とか野生の勘と言うにはほど遠い正確性を持っているように思われた。

このような同調性、特に左右のバランスに係わる自律的同調性こそ、運動神経系から発生した二足歩行のための再帰性連携行動があるからだと考えている。それはどうやって連携しているのか。伝達だけではできないし、神経伝達や脳からの調整指令ではスピード的に間に合わないはずだ。左右の筋肉のセンシングに電子ではなく素粒子または光子レベルの連携があるかもしれないと考える。つまり、決して交わることのない遺伝子の二重らせん構造のように、左右対称性を持つ原子核単位で、各生体機能の過去データを記憶し、解析し、一部をプロトコルとして専門機能化させたプログラムとなっていて、その前提である左右のそれぞれの動きも相互に記憶していると考えてよい。

従って、過去のよく似た環境条件と曖昧な指令のもとに独立した判断を下す再帰性を持つことによって、以前と同じようだが同じではない決定と行動を左右の相互連携の中で行っているのではないか。そうであれば、分子の中の光か、ヒトの身体を通り抜けている素粒子を媒介として左右組織の疎通ができる入れ物が分子内にあるということだろう。これが、筋肉神経繊維の自律分散処理であり、再帰性における相互主義（Recurrent Reciprocity）が適用される。その領域に、ディープラーニングを使って迫る必要がある。しかも、ヒトの生体の各部署が個別の自律行動の際にお互いを認知しているということからも、相互認証台帳管理プログラムであるブロックチェーン技術は、ディープラーニングをブラックボックス化からすくい上げるコードキーとなるかもしれない。言葉を換えて言うと、知能化技術は物理化学のナノ世界であり、ヒトに迫る作法となる。

そして、その原理は多様であるが故に、個体としてのヒトだけでなく、人の集団としての政治・経済・軍事の体制の原理に深く影響を与え、かつ、ある社会の先行きを予定調和のように暗示しているのかもしれない。日本がこれから直面する知能化におけるリスクマネジメントは、刻々と変化する社会構造の中にそのような自律的な予定調和を見いだすことによって不測の事態に対するレジリアンスを高めることだと信じている。その作法として再帰性における相互主義が多少は役に立つのではないだろうか。例えば端的に言えば、工場などの海外投資交渉において相手国・相手企業が合弁企業しか認めないのであれば、相手国側の自国に対する投資も合弁しか認めない。あるいは真の受益者、究極の親会社とその企業を実質的にコンロトールする者を特定して、日本側も同じ構造を作り出すということである。そのような相互主義を使って実質的影響力の行使を相互に明確化することこそ、今後のリスクマネジメントそのものである。米国のコーポレートガバナンスにおける監査では実質テスト（Substantial Test）が要求されるが、この「サブスタンス」という言葉は「分子」でもある。知能化領域においては通常の企業活動であっても、今後は組織活動の分子どころか原子、光子など素粒子まで特定する必要がある。

であるならば、具体的には技術開発リスクに係わる主要分野でどのような注意をすべきか、リスクマネジメントの方向性として何が必要なのか、次章以降で考えてみたい。

第四章　リスクマネジメントにおける
クロスドメイン（領域横断）戦略の要諦

「カネ・モノ・ヒト」アカウントデータ管理と分析の信頼性

「アカウント」という言葉が様々な場面で使われることに信用の危機がある。銀行口座のようなカネのアカウントから始まり、メール・アカウントやモノを売買するための私書箱のようなポスト・アカウントもある。そして会員登録のメンバー・アカウントから診療記録や指紋・顔などの生体記録などのヒトそのもののアカウントに至るまで、なぜ人の集団はこれほどまでにアカウントに頼るのだろう。

例えば企業のカネ・モノに係わる領域で言えば、会計監査から内部統制監査に至る過程では数値による資産価値の信頼性が「重要性(Materiality)」という一言に集約されてしまい、その重要性とは何かが詳しく問われることもなく、正否の判断基準が曖昧になってしまうこともある。それどころか表向きの数字に誤魔化されることや数値が目くらましになることさえある。財務諸表は円・ドル・人民元などの通貨で数値化された企業活動とその資産価値の評価ではあるが、周辺の技術革新によってその信頼性は将来大きく揺らぐ可能性があるだろう。内部統制評価も含めて説明責任（Accountability）を確保するためには、数値化された事象の重要性と影響度を判断するための基準を細分化し、その数値の裏付けとなる無数のデータをネットワーク分析にかけることで円錐形の構造の頂点、例えば、究極の親会社のサステナビリティに対して遠い下部組織にある子会社の変化がもたらす影響を領域（domain level）別にそれぞれ測定することが求められるようになるだろう。

逆に言えば、連結会社について期末時点の断片的な数値面積を求めた重要性基準にヴァリュー・アットリスク（Value at Risk）によるリスク度合いの分布曲線、そして過去をヒアリングしたチェック・ザ・ボックス（Yes/No）判定などでは、今後の米中が対峙する地政学リスクと中央集権的なデジタル技術革新がもたらす個別企業への影響を説明することはできない。二〇一五年に米国トレッドウェイ委員会が追加提唱した会計と内部統制との統合監査を実現し、さらにサステナビリティ要件を網羅したうえで企業のリスクマネジメントとして経営トップの判断に資するためには、人工知能（Artificial Intelligence）によるあらゆる関連事象のマイニングを必要とする。そのニューラルネットワーク分析の領域・要件を選定し、時系列的なショートとロングの狭間における企業活動の妥当性をどこまで踏み込んで監査するかについて、まさに0と1の間でどちらにも偏らずに決定せざるを得ないことが悩みの種となる。これが、ロボティクスプロセスやデータサイエンスによる究極の数値計算の効率化の向こうに見える真偽の判定となるはずである。一般企業が様々なアカウントを通したビッグデータをＡＩで分析することは、自社の財務諸表を含めてまさに企業とその周りを取り巻く経営環境について、その真実をどう数値で表現できるかという信頼を得るための果てしない挑戦になるだろう。それを0か1かの二極のいずれかに決めて一部を切り捨ててしまうことは、今後ますます複雑化してゆく経営環境の変化やそのリスクの兆候を取りこぼすことにもなりかねない。

「情報化・電動化・知能化」技術の発展段階におけるアカウントの帰結

「情報化↓電動化↓知能化」という先端技術の大きな流れを前章までのデータ管理の意味づけに置き換えてまとめると、概ね「カネ↓モノ↓ヒト」というアカウント領域の変化に対応させることができる。

「情報化」はカネに帰結する。最初はデータサーバーのアカウント設定に始まり、情報通信による効率化や広告費の外部経済効果が金融の口座に繋がることで収益を得る。つまり、情報をアカウントという数量価値に換算することでマネタイズが完結するように見える。しかし、既に四億人というデータ分析のクリティカルマスを超えた中国では、ポイント付与による社会信用システムを完成させ、人民元やドルというカネを介在させない経済的決済手段と政治的信用度を一体的に、かつ中央集権的にポイントで提示している。それが近い将来には人民元デジタル通貨へと繋がる。半導体通信の高速化により情報が産業化することで、情報を通貨価値に置き換えて安心していた時代は終わった。情報領域では既にＧＡＦＡに対する独禁法を適用するかどうかの問題ではなく、国家として通貨発行機能を国内決済すべてにおいて維持しようとすれば、中国と同じように銀行口座を含むすべての情報アカウントを国家・政治の管理下に置かなければならない。つまり、データを中央サーバーで処理する現在の中央集権的な情報技術は、縦と横の両方のデジタルデバイドを通して究極的な国家資本主義による企業・国民の統制を示唆している。従って、情報化がデータ蓄積であると国民に誤解されたままでは自由資本主義・民主主義体制が変更を迫られることになる。

「電動化」はモノに帰結する。産業が情報化する中で必然的にモノの電動化も加速するが、世界人口の増大によって大量生産・大量消費経済における電力・熱エネルギー生産量の限界は見えている。モノ＝資産として価値化すれば、量産体制における原価低減を目指さざるを得ないが、モノに対する独禁法の域外適用は地球規模の量産を主導する他国政府系企業に適用できるのか疑問である。そして、公海や領土を含む他国領域の資源採掘・漁業権などのせめぎ合いを国際機関は調整できるのか。環太平洋パートナーシップ協定（TPP）や知財権における政府系企業の役割と人のあり方を見れば、早急に国家資本主義を国際的な規制エリア内に囲い込むことが必要との意見も出てくる。ただ、政府系企業の資源買い占めに対する囲い込み抑止ができないような場合でも、最終的には当該国の中央集権化された電力・熱エネルギーの生産量の確保は難しく、電動化のつけを食糧不足なども含めてその中央集権体制が負うことになる。問題は、国家資本主義を強化する中央集権体制がその資源囲い込みのつけを払う前に世界の資源・エネルギーが枯渇してしまい、当該国以外の世界の成長が阻害されるだけでなく、当該国による実効支配を受けてしまうことになるかどうかである。

「知能化」はヒトに帰結する。コンピューターがどこまでヒトの脳に近づけるかだが、AIの拡張機能と代替機能に対して最大限の電力を投入してもなお、電子で脳に近づくことは不可能かもしれず、光子とタンパク質の世界に可能性がある。それ以前の知能化は、金銭信託に対する忠実義務（Fiduciary Duty）概念を構築して真の株主を探すことと同様に、0か1の電子の世界でプロセッサーと仲介器（ATM）を管理して真のサーバーを特定していくプロセスが重要になる。データを管理する真のサーバーはチャージされる米国サーバーか、それともフリーの中国サーバーなのかを特定し、プロセスの信頼性を確保することが国家のデータ主権を守ることになる。それはプライバシーも含めて通貨主権、資産の所有権を守ることでもある。では、財務諸表に経済機能としてのヒトをどう反映するのか。知財のクロスライセンスや技術員の流出防止が交渉の種であった時代の説明不能な価値

（Hard to Value）を将来企業価値との差額や現在株価などで丸めて数値化するのではなく、ＡＩによって企業の端末であるヒトそれぞれに無形資産アカウントを起こして連続的に評価することが普段から必要とされる。四半世紀前のＥＶＡ（Economic Value Added）経営が現実にデジタル計算表記できるようになる。

「サイバー空間の存在意義」　シミュレーションと実物世界の関係

これまでに見てきたデジタル情報化技術は、情報通信の飛躍的な発達によって電脳空間や仮想空間などの新しい次元、いわゆるサイバー空間を生み出したかのように認識されている。しかし、電脳や仮想といった非現実空間の展開と、情報通信技術の現実社会への実体的浸食とは明確に区別すべきである。ｅスポーツなどのように完全に社会から切り離された世界をサイバー空間というのは問題ないが、現実社会の通信手段、通信ネットワークとして使用されている場合にはそこに新次元空間はない。いわゆるほとんどのサイバー攻撃というものは通信手段または半導体機器を経由して、実体同士を繋ぐ連絡網や機器に入り込み、なりすまし、詐欺や情報取得に機器破壊などを遠隔で行うものであって、情報ネットワーク上の戦闘にすぎない。その情報ネットワークをサイバーと言うのであれば問題ないが、そこに空間という概念はない。従って、陸・海・空・サイバー・宇宙という五つのドメイン（領域）で呼び名をつけると、現実のクロスドメイン戦略を誤りやすい。陸海空に宇宙の四つの三次元ドメインで交差的にサイバー戦闘が起きるのは明白だからだ。情報部を陸海空軍と分けて作るよりは別に専門部隊を設置したほうが情報における陸海空連携が行いやすいという判断はあり得るだろう。陸軍情報部からCIAなどを作るのと同様に、技術的な新分野でサイバー部隊を創設することはある。この場合、従来の情報部（あるいはCIA）と新設のサイバー部隊（あるいはサイバー軍）は何が異なるのか。

少し戻って、非現実と現実の二通りを考えよう。非現実のサイバー空間があるならそこでの戦闘を実行する部隊が必要だが、それはeスポーツではないのか。そもそもその非現実のサイバー空間で行われる戦闘が現実に対する影響や被害を及ぼすのかを明確にしなければならない。また一方で、情報通信ネットワークによる現実への浸食においては、既にサイバー攻撃に対する耐タンパー性の構築が急務だ。政治・経済・軍事のいずれにおいても情報通信ネットワークを使った、あるいはネットワークを掻い潜った攻撃に日々晒されている。この二つの接点は何があるのだろう。皮肉なことにeスポーツのゲーマーが現実のサイバー攻撃の攻守双方の戦闘員として優秀な者であることもあれば、さらにeスポーツ開発のプログラムが現実の情報通信型武器開発のプログラムとなることもある。ゲーム機本体のプラットフォームをそのまま使用する場合もあれば、いくつかのゲーム機器のモジュールを簡単に組み合わせることなどで、情報化・電動化・知能化の先端技術開発が進む。

つまり、電脳空間や仮想空間という非現実の次元で実行できるようになったことが、情報化技術を通して現実の世界の技術に適用されるということだろう。従って、非現実のサイバー空間は現実の技術開発・技能取得などの最適なシミュレーションであるということだ。ヒトの脳が創造する空間は人の知性の想像の社会でもあれば、人の感情が左右する欲望の社会でもある。そのような空間はまさに非現実だからこそ、サイバー空間として現実社会を凌駕する先端技術を生み出す世界であり、揺籃器となる。非現実にはまって考え過ぎるオタクと現実にしか興味のない直截なヤンキーが、双方をバディとして一緒に働く世界が最強のサイバー部隊となるだろう。普通はオタクの秋葉原とヤンキーの渋谷では行き来がないものだが、情報化から電動化へと進化する今後は、データと現実の双方の弱みを補完し合う存在として二つの街を行き交う若者が増えて欲しいと願う。

軍事が分かりやすい例ではあるが、翻って政治・経済における企業行動のシミュレーションにも情報分析と適正な対処能力・兵站が必要だ。しかし、想定されるリスクマネジメントとしてＢＣＰ（Business Continuity Plan）などを整えてきたマニュアル手法のままでは今後の新たなリスク態様には追いつかない。情報化が進展して本格的な電動化時代に入ると潜在的なリスクは多様化し、実体への被害が突然発生し、かつその影響が一気に拡大することが多くなるだろう。それは、マシンラーニングにおける中央統制の破綻または暴走と同じ状況下で企業の思考が停止する（フリーズする）可能性が高くなるということだ。

「ビッグデータと現場」データセンシング社会の陥穽

陸海空・宇宙のクロスドメイン（領域連携）戦略では、それぞれの領域の常識を超えたデータの分析と即時対応が要になる。今までも当たり前だが、平時の情報交換や作戦時の情報連携バッジ処理は行われてきた。しかし、クロスドメインのサイバー防御の世界となり、事前の想定範囲での企画・作戦行動で対処できる時代は終わった。一朝有事には出し抜けに想定外の大変な事態が起きる。そんなとき、電動化から知能化へと進化する技術の方向性に従えば、例えばディープラーニングにブロックチェーン相互認証を加えたコンティンジェンシープランによって、現場の顔の見える範囲で瞬間的に認識・判断・行動を起こすことはひとつの戦術だろう。つまり、危機に遭遇して現場はとにかく動かなければならないときがある。実務ではムーブオン（Move on）の掛け声が貴重だ。

ヒトの世界は平時でも有事でも常に「再帰性における相互主義」という概念的な枠組みに沿ってしばし考えることが有効だろう。再帰性ということでは、過去と同じような状況で同じことが起きていても三次元のスパイラル的な実装は進行しているので、データ設定としては過去と同じ位置づけに一回りして位相が違う状態に戻ってきているということだ。デジャブ（既視感）という脳内映像処理だけではない。同じだがどこか違和感を持つという場合がヒトの生体反応としてある。直感とか第六感とか言われるものは、実は大変身近な現場の世界なのだ。ミクロン単位の傷を見つける塗装の職人芸、あるいは現実の目の前にある根源的世界を抽象的に描く芸術など、この現場の「再帰性」がヒトの細胞の左右や上下の相互関連性に基づく何らかの意思疎通としての「相互主義」に由来するとしたら、実はリスクマネジメントにおけるコンティンジェンシープランでは過去の膨大なデータの解析判断よりも目の前のデータの認識とその場の判断のほうが重要だということだ。

これからは情報自体の非対称性はなくなるだろうということは第一章で述べた。情報の非対称性を作って利益を得るためにはフェイクやなりすましなどの情報操作が必要となる。情報技術の進展によって戦闘において敵味方が同じ情報を共有しているとしたら、あとは電動化の物理的差異が現実として現れるだけだ。だから、ある情報、つまりデータを知られないように秘匿したり、偽のデータを流したり、相手が行動に移る動機や判断根拠を変えようとする。だが、本来、現場ではすべての細胞が意思疎通の相互連携を繰り返しているとしたら、何よりも相互主義（Reciprocity）に基づくアプローチを行うことが、人を動かすムーブオンには必要だ。データでも言葉でも行為でも何でもいいから、「動く」ことだ。敵味方でも味方同士でも、双方が動けない状態はマシンラーニングにおける中央統制の破綻、思考停止と結果的には同じだ。だからこそ逆に関わり合いを持ちに行って、「障子を開けてみろ」というムーブメント、行動の揺らぎがその場の関係性に存在している。「できないと言わずにやってみろ」を座右の銘として光（フォトン）の世界を切り拓いた同じ浜松の創業者がいる。現実の世界の細胞、分子、原子に至るまで、そしてその先の素粒子やダークマターの世界まで、その場その場で光の中の揺らぎが見えていたのではないかと思われるぐらいポジティブだ。揺らぎの中のムーブオンの発想と行動力とは、経営者に必要な現場の職人芸の一つではないだろうか。

その際の留意点がデータログは過去のものだということだ。過去のビッグデータを集めるだけでも技術的にも資金的にも大変だが、それを現在の最新に置き換えようとするとさらに膨大な作業を必要とし、特に非常時においてマシンラーニングに頼る場合は小さなほころびで中央統制が破綻しやすいかもしれない。それがデータ依存の落とし穴だ。「今そこにある危機」という言葉は情報化の本質を表現していて、リスクを目の当たりにした人にはその意味が響くのだろう。ヒト細胞の物理化学的な揺らぎと相互連携は人の共感の源であり、だからこそ中央処理脳の御せないところで、目の涙、胸の感動や手足の震えを自律的に起こすのだ。データの落とし穴に落ちないためには、現場の人の自律的な判断をとことん信じることだと思う。

「海底ケーブルと宇宙衛星ネット」　海と宇宙のコラボレーション

情報化から電動化に向かって「動ける・動かす・移動する」社会を構成するときのインフラ基盤が情報ネットワークだが、情報通信網における有線・無線、広域・局地のインフラは何を意味するのだろうか。サイバー空間のシミュレーションも実際のサイバー防御も、現実的には物理的な広域有線網を介して端末機器（ノード）単位の地域無線通信を駆使する中で行われる。情報ネットワークを操作・遮断することによって情報の非対称性が生まれることは前述の通りだが、物理的な通信の遮断というものは、都市の電気供給を支える系統電力がブラックアウトすることに等しい。もちろん、中央統制型の系統電力に頼る現在は、電気がなければ継続的な通信は行えないので情報ネットワークの遮断にも繋がるものだ。従って、電力レイヤーは情報レイヤーの上部構造ではあるが、いずれも中央統制の強みと弱みを相似形で抱えている。

現在の情報ネットワークは海から宇宙へと広がっている。米国主導のインターネットはこれまで海底ケーブル網と世界に配置されたサーバー・ルーター（ルートサーバー）を物理的に経由して、世界中のネット情報通信を担ってきた。一部では海の底の二千メートルに横たわる光ファイバーケーブルが大量の中継器を以て大陸間を繋ぎ、各大陸の主要拠点には情報ネット技術の核となる基盤ルータを設置している。

一方で、GPS（衛星測位システム）などに活用される情報通信衛星は進化し、地上で電波を受け取るだけでなく、衛星をサーバー・ルーターとして宇宙ネットを実現しようという試みも進められている。米国のベンチャー企業や中国政府の北斗計画の宇宙ネットのように、地球上を網羅する衛星の一部をルーターとして情報通信ネットワークを完成させようとしている。これは宇宙との無線通信を基盤にした通信ネットワーク設置だが、米国の民間企業が宇宙ネットに成功しても使用は一部に限られ、中国政府の北斗計画では軍事利用と政府が民間に提供する信用システムでの使用に制限されるので、二〇五〇年までに民間に開放されて使用される可能性は低いだろう。その課題は宇宙と地上の間で電波を送受信するアンテナがポータルで安価に製造できる技術的な見込みがないことだ。船舶通信は衛星測位を直接利用しているが、基本は設置型の大きなパラボラサイトアンテナとなり、二〇三〇年までにはクルマに搭載できる程度の大きさの亀甲アンテナが実用化できるだろう。

しかし、家庭内の個別の機器や携帯などの軽量ポータルサイトでの宇宙との大量データの直接送受信はまだまだ技術・コストともに難しい。放送衛星でのCSチャネル放送が進化してもなお、大量データ送受信のためには基本的には地上の基地局で受信して仲介器を通して地上無線で端末との送受信にならざるを得ないだろう。海底ケーブルでの大陸間送受信をメンテナンスの難しい衛星で代替することは、双方向通信の費用対効果からも将来にわたってそう期待できないのではないだろうか。

そのため、宇宙ネットの設置・利用は軍事面に大きく傾く。北斗計画を進める中国政府は二〇二〇年に五十五の衛星でほぼ地球上のエリアをカバーしたが、その前後からアジア太平洋海域での強軍行動が目立ち始め、米中の対立は先鋭化した。つまり、中国は米国由来の海底ケーブルを使った既存のインターネット網に対抗する宇宙ネットを設置し、情報戦における技術的な劣位を覆そうとしている。逆に米国は、海底ケーブルを経由せずに地上の基地局に来る通信も5G仲介器を経由しなければ情報遮断できると考えれば、5Gの仲介器ビジネスからファーウェイを締め出そうとすることも当然だろう。その先も想定すれば、ファーウェイの端末だけでなく、ポータルサイトのノード（端末機器）のAPIアプリケーションや通信ソフト・金融決済ソフトのすべてから中国を追い出す。5Gの覇権争いは経済の問題ではなく軍事的衝突を視野に入れた情報偵察戦として位置づけられるデジタルデバイドと言ってもよい。同様に事前の陽動作戦では実体的効果よりも心理的負担をかける細菌戦なども挙げられるが、情報偵察戦における事前工作が事後に想定される本格的な初期戦闘の勝敗を決することが分かっているからこそ、米国も中国も短期的な経済利益を追求する場合と異なり、人員・機器などの情報化投資を拡大して少しでも優位に立とうと躍起となる。

少なくとも、軍事的な劣勢を招かないためにかつてない大規模な人員と資金を投入することによって、海と宇宙の戦いが始まっている。これまで宇宙は大陸間弾道核ミサイルという物理的な大量破壊兵器の通り道として、その打撃や迎撃のための空間測位の技術がすべてと言ってもよかった。一方、デジタル情報戦のルートを提供する場としての宇宙空間は、海の情報伝達ルートに対抗する存在となるかどうか不透明だ。当面は大陸間通信容量の問題として有線ではないことがやはり大きな壁となる。有線の海底ケーブルは光ファイバーで圧倒的な情報量を相互通信でタイムラグなく二十四時間安定的に供給できる。海底に張り巡らされたケーブル網は、例えば日本の最先端技術で海底ケーブルの仲介器を海上航行船舶・潜水艦などの探知機として使用することにより、領海・領土への接近阻止のための偵察情報を逐次提供すること、あるいは、領海防衛時の電磁かく乱から海中仲介器が発する連絡で攻撃から逃れて、逆に海上の敵艦隊無線情報をかく乱することなども可能になる。

民間利用に制限の出る宇宙ネットはいずれにしても政治経済・軍事における中央統制での利用に限られるため、技術的な進化は遅れる。また、その当面の技術的な限界を確認すれば、宇宙ネットの阻止は比較的容易であることも理解されるだろう。ある意味、宇宙空間でゴミになった衛星を回収する技術開発が宇宙ネットの通信を妨害・遮断する直接的な方策となる。また前述の通り、地上の設置型仲介機器から不要なソフトとアプリなどを排除しておけば、その仲介器圏内の無線通信の宇宙ネット・海底ネットともに情報保全が図られる。情報化における通信ネットワーク技術の海底ケーブルと宇宙ネットの戦いは、当面は海底が有利である。

そのため、物理的な海底ケーブル仲介器の安全性及び機能性を代替可能かつ効果的な防御攻撃一体型で高めてゆくことこそ、民間の経済活動を支えることになるだけでなく、シーレーン防衛や空母電磁防御などの自衛の面でも有効な方策になってくるだろう。宇宙ネットを前にして、例えば対艦ミサイル電磁防御デコイ（おとり・なりすまし）やドローンなどを海中ネットも使って海面上に自動的に組む技術などに注力すればよいと考えられる。

現在の海の覇権争いなどの陣取りは、当然ながら接続水域の線引きではあるものの、それ以上に情報通信網の世界的な勢力分布の争いにもなっており、日本にとって南シナ海は物理的な資源・物資兵站ルートというだけでなく、国際情報通信ルートの基盤の半分なのである。その重要な海域における空と海の自由を確保するための技術ドメインは、真空の宇宙ではなく生命を育む海の中に持ち込まなくてはならない。それが接続水域におけるクロスドメイン戦略の要諦だ。その接続水域の自衛とともに公海の自由な航行と通信の確保なくして貿易・経済の自由もあり得ないことは自明であり、海の国である日本が将来にわたって国際社会で安定した役割を果たすために必要なインフラ技術の根幹となる。東シナ海の日中共同海底油田開発やサハリン2（樺太U2）天然ガス開発において日本側が外交的にも漸進的後退を余儀なくされた過去の経緯に学び、アジア太平洋諸国は一体となって技術と資源を保全しつつ公海上の自由航行と沿岸部の無害通航権を守ることが世界の将来に繋がる。漁業権などの設定も含めてそのような海における経済的な相互関係性について自由で公正な理念に基づく共通認識を再構築するためには、その背景に海を自衛できる技術をもつことこそが海の国である日本が国際社会に貢献する政治の覚悟となるだろう。

「繋がると繋がらないコネクトーム」　大量と個の矛盾

これからの技術革新が情報化から電動化のフェーズへと向かうとき、これまで見てきたようにサイバーでも宇宙空間でも技術開発のアプローチを間違う要因は、いずれも繋がっているようで実は繋がらない状況という現実を理解しないことにある。なぜなら、どちらも「大量」データへの信奉が誤解を生むからだ。大量であれば何もかもうまくゆくと考えてしまうことによって、ビッグデータにおけるクリティカルマスという仮想や新しい情報通信ネットワークとしての宇宙ネットという仮の統制が生まれる。翻って「個」の認識に戻ると、誰もがやっている確率論で自分のその瞬間の行動が個別に決まるような生体反応としての「ヒト」はいない。もちろんそう思う「人」は多くいるし、多くの人々がその高い確率の行動をするために、その結果のフィードバックから確率が証明されたと思ってしまうような誤謬に陥る。私は仕事上でも確率論で切り捨てたはずの事象が起きてしまうような実務の現場を何度も目の当たりにして、「大量」よりも「個」の大切さを感じるようになった。

そして、機械文明の大量生産・大量消費のもたらす安価な利便性に限界が来るとき、たった一種類の部品や原材料がなくて大量生産が突然止まることも多くなってくる。つまり、繋がっていると何かあったときの影響は大きい。そのようなときは実は大量消費が消えつつあるにもかかわらず、広告・販売制度などの仕組みや消費者の心理的な慣性により大量消費が続くようにも見える場合が多い。しかし、実務の現場に行けば個としての新しい動きは既に吹き出ているものだ。つまり、代替性のない部品や原材料に依存する流通体制そのものが、そのときには繋がっているように見えても既に繋がっていない兵站であるとも言える。

例えば、ＧＡＦＡが大量のデータ収集により不公正に利得を得ているという独禁法違反で調査されることも、分散型社会では社会的信用への価値観が転換する前兆だ。一方の中国政府系企業のように、大量データ収集が推奨されて政治的信用ポイントにも結びつけられる中央統制型社会では表向きの独禁法を提示しつつ実態の監視を強化し、体制から外れる個を抑圧して価値観を一本化し、国内外ともに権威的にその画一的システムを拡張していくことになる。米国のように多様化が分断を生むということは社会の暴走に歯止めがかかるということかもしれないが、中国のように何かあれば次々に規制を強化する場合はＡ

Ⅰ国家として暴走してしまうということかもしれない。

いずれも情報化社会の断片化傾向、つまりフラグメンテーションによる影響が色濃く出る。中央統制型が1であるなら、分散型の個は0なのか。それとも反対なのか。中央統制型はすべてが一つになるという1を目指すことも考えられるが、その先は動かないか破綻だとすると0である。分散型でも一個人は四億人のクリティカルマスというデータ数から見れば0に等しいかもしれないが、それぞれの生活で自分なりの生き方をするヒトとして1である。このような社会と人との状態は0と1の間の揺らぎを象徴するものだが、中央統制型でも分散型でも、ましてや大量の状態でも個の状態でも、繋がっていると思っても実は繋がっていないことが普通である。それを心理的状態として認識し理解しようとすることに後付けの理屈としての意義はあるかもしれない。だがそれでは、データ・言葉として繋がっているように見えて心理的には繋がっていないという状態の中に潜む「孤独」と「独立」の言語的な差異の発生原因には迫れない。どちらもそれはヒトとしての生体反応であるかもしれない。それこそ人らしいということで、心理や感情という言葉に無理矢理に変換してしまうのかもしれない。

このように情報化と電動化のフェーズでは「繋がると繋がらない」がリスク要因となる。

だがそのリスク対応において重要なことは、将来の知能化に向かう段階ではヒトの生体反応としての身体の左右同調化や足から腕・首・顔・脳に至る上下の連鎖など、逆に「繋がらないと繋がる」ということも視野に入れておく必要があることだ。自律に自律を重ねるということを超えた細胞の連携が筋肉にはあるかもしれない。それは情報を介さなくとも個体を超えて連携できることがあるかもしれない。ヒトはその体内に自律分散機能として個体を超えて同時多発的な心象風景を持つことができるかもしれないということだ。人は自由独立な身体と心を物理化学的に生来のヒトの機能として持っている可能性はないだろうか。この自律分散的な細胞に内在するプログラムについては、「再帰性における相互主義」というアプローチにこそ遺伝子情報の連携も含めた「繋がらないと繋がる」作用の揺らぎや動機、そして社会性が見てとれるのではないかと考えている。

「クロスドメイン戦略を支える人材」プログラミング教育の目的

「繋がらないと繋がる」というような細胞や個体を超えた共感を伴う知能化の世界を実現するためには、従来の機械化文明にはない発想、まさに生まれたときから情報化の仮想に慣れ親しんだ若い世代の発想が必要だろう。情報化・電動化・知能化がそれぞれクロスして進展する中、日本では漸く小学生からのプログラミング教育が導入された。インドでは十二才のプログラマーが社長となったベンチャー企業も出ているそうだが、ゲーム機器で成功した日本でも遅ればせながらプログラミング教育が導入される。今から十年後には中学生や高校生が自分でプログラミングしたゲームを持ち寄って遊んでいることが理想かもしれない。だが、その十年後に日本のおかれた厳しい状況下で本当に必要な人材とは何かを、今、具体的に考える時期だと思う。お仕着せのテレワークやデジタル化の普及ではなく、文部科学省が具体的な目的に向けたデジタル教育を指示すれば、今後の情報化から電動化、そして次の知能化への流れに日本は十分に対応できる。情報化だけでは実務や現場作業から離れた世界が多いものの、その情報化を基盤に電動化が本格化すれば、現場で実物を扱うということではもともと日本の得意分野である。「動ける・動かす・移動する」モビリティ社会を目指して、子供たちの内にある自由なプログラミングをできる環境を整え、国家として必要な人材を育成すべきだと思う。

現在の顔の見えないネット社会が生み出す誹謗中傷なども人々が半分仮想と錯誤しているから起きることであり、今後さらに電動化が進捗すれば情報に携わるすべての人が現場・実物の世界に否が応でも係わることになる。その現物の世界での研究・開発や社会的行動を制御するのは、まず現実の結果のフィードバックであり、痛みが伴う。現物のモビリティ社会は顔の見える者同士の痛みの分かるプログラミングの世界になると信じている。そこでは現在のSNSにおける言い放しではなく、言葉も必ず自分に跳ね返ってくる世界が現物を通して知らされることになる。従って、子供たちの技術開発の方向性さえ間違っていなければ、新しいモビリティ社会の自由を規制するのはそれからでいいのではないか。

情報化だけのネットワークが無責任になりやすいことは、前に述べたフラグメンテーション効果だろう。顔の見えない多数がうごめくSNS社会は安全性を確保すると標榜する中央統制に馴染みやすいかもしれないが、統制そのものが暴走する可能性を秘めている。では、そのフラグメンテーションを放っておけば、誹謗中傷や強圧的な統制を通したネット上のいじめなどが社会的な事態を招くだけでなく、その放任状態を利用する勢力が国内外に出てくることも止められない。度しがたいネット社会を現実に紐づける技術がモノに繋がる電動化であり、次の知能化技術への扉となる「再帰性における相互主義」の概念だ。仮想がもともと仮想ではなく人や自律細胞に紐づいているものだということを個別に双方向で明確化するための確認作業、即ち「アイデンティファイ」技術こそが、情報化の先にある本来の電動化と知能化への道だ。

その技術の核心は、コネクトームが単なる神経系伝達組織ではなく、自律化した細胞に自律化した筋肉や神経や体液をまとめて連携させる仕組みだということだろう。だからそのプログラムの基盤はブロックチェーンを使ったディープラーニングシステムが最も相似形だと言える。そのシステムを再帰性における相互主義で動かすことができるなら、生体反応としてのヒトは0と1との間の揺らぎを動機にして細胞から認識・判断・行動を自律的に重ねていけるだろう。この仕組みは、情報化が電動化に繋がってモノを動かす、ヒトが動ける、モノやヒトが移動するときにそれまでのデータの解析に基づいた近似値の現場判断をそのときどきに行うことで、相手や対象物との関係性をその場で構築する。つまり現実にその場で紐づけ、個と個で繋がると理解することができるのではないだろうか。情報化の本質はＰ２Ｐ（ピアツーピア、端末と端末、個と個）にあるのだから、実は私たちが子供の頃から人として心の内では分かっていることをプログラム化することなのかもしれない。だからこそ、小学生が自ら考えるプログラミング教育の自由さは日本にとって人材育成のうえで大切なものとなる。そのプログラム技術の方向性について、強いアンドロイドと弱いアンドロイドのそれぞれの機能から考えてみたい。

個性の囲い込みと共有化による特化型「強いアンドロイドの機能」

新型コロナ以降の現代社会ではテレワークなどの表面的な状態から見て集団と個の関係が希薄となりつつあるとも言われるが、逆に携帯端末によって個と個の関係は密であるようにも見える。だから集団が個の相互関係で成り立つというのはやはり幻想だ。集団における個は全員一致でも多数決でも切り捨てられる可能性があるからだ。現在の政治・経済・社会いずれでも集団になれば個の影響力は減殺される。ましてやビッグデータ集めのための四億人というクリティカルマスの中では一人の行動の影響力は極小まで小さくなる、というより個の影響力を小さくして結論の確率を高めることが統制の目的だからだ。

マシンラーニングにおける中央統制の破綻やフリーズという問題を扱うに際して重要なことは、統計が個性を切り捨てて計算の実効性を上げているということを忘れないことだ。実務の現場で違うこと（個の事象、個性）に直面したとき、その切り捨て計算に頼ると失敗することは少ないものの、その少ない確率に該当して失敗したときの痛手は想定以上に大きい。リカバリー不能になる場合も少なくない。ビジネスで経営危機に陥る場合は、確率的に実行したか、または現場を見ないで実行したかのどちらかのミスが多い。つまり、当該ビジネスを類型化してマニュアル化することや、働く人々が現場で発揮している個性の活かし方を考えなかったことなどが結果的に経営判断ミスに繫がる。逆に現場を見ている経営者は突発的なリスクに晒されても知恵が働く。それは、働く人々の姿からビジネスの特徴やそれぞれの働きの個性を自然に理解しているからだ。ということは、働く個々の人々にとっては自分が経営者から見られているという反射効果も大きく、日々のコミュニケーションを通して各個性をそれぞれ個別にビジネスに取り込むことができる。そうすれば、経営者やマネージャーは各個人に共通した価値を見いだすことも、あるいはチームで共有できる価値を自ら提案して自分も含めて結束することができる。これは多数決ではないけれど、まさに責任を持って行動すべき民主主義のリーダーシップのあり方だと言うこともできる。

もともと各個が持っているものであっても、あるいはリーダーとして共有したものであっても、その共有した価値観に裏付けられた行動こそが個と個の関係の再帰性に基づく相互主義の発露となるため、そう簡単にバラバラにはならない。相互依存ではなく、相互に独立した個体同士に共有された価値観こそ、全体と個の揺らぎの中で鍛えられて確固たる行動原理となる。それが信念だろう。がんこものと言われて過去にこだわる信念であれば、それは過去に共有した価値観があってなお今も再帰性における相互主義を欲していると言える。

つまり、相互主義は相互依存ではなく、独立した個々が相互にコミュニケーションすることに基づく認証であり、行動の動機の受け渡しであり、想定される同一の結果を追求するプロセスを各個人が納得したということである。敢えて言えば、その仕組みはブロックチェーンを使った認証によるディープラーニングシステムであり、意識の深いレイヤーに入り込む共感によって、動作・感覚がより鋭く、目的意識がより強固になる。二人が神様の前で阿吽の呼吸で行う刀鍛治の鍛錬のようなものではないだろうか。技能が現場の力としてＡＩを凌ぐのは、情報化でデータログ化できない領域が必ず存在することと、電動化では動きの正確なコントロールに限界があることだ。そのように、データ化できない領域の存在とコントロール不可の領域を0でもなく1でもない揺らぎの中で探し求めてゆくのがヒトのコネクトーム（Connectome、神経系回路全体）と自律した体細胞との関係性である。知能化の段階に至れば、この相互主義（Reciprocity）を装備したアンドロイドは高精度の再現性を実現し、かつ個別対応において停止することなく持てる機能を発揮する動機、再帰性を持つことになる。何らかの専門的な機械機能の代替機能または拡張機能を持つ強いロボットが、ヒューマノイドの一般的で共通の判断機能（プロトコル）を備えることによって、逆に専門領域に対してより強いアンドロイドになる。無線操縦ではなくても安全性が確保できるようになる自律化の第一段階だろう。だが、まだ価値観を共有したとは言えず、与えられたプロトコルを共有しているような行動ができるようになっただけと考えられるだろう。しかし、プロトコルに沿った再帰性を持つ一歩は大きく、専門機能特化型の強いアンドロイドたちがＰ２Ｐで縦横無尽に動き回る集団作業を無線操縦ではなく自動で実現できる。クルマで例えれば、本当に文字通りの「自動」車（Automobile）となる日だ。

ヒトの機能の代替または拡張を行う専門機能特化型アンドロイドが普及すれば、特に人手不足が深刻化している地方の農林水産業が復活する決め手になる。同時に、既にロボット化により機械工程が効率化された産業でも、人手の増減やノウハウ不足などに関係なく多能工としてのアンドロイドが担う生産工場から食品加工・梱包工程・運送業に至るまで、生産と流通網が一体化して飛躍的な作業効率化と固定費の圧縮が進む。経営者を悩ませてきた大量生産工場の稼働率の上がり下がりは問題でなくなり、サプライチェーンを含めて需要に応じた生産・配送が可能になるため、パイプライン在庫も圧縮されて常に収益を確保できる。いわゆるムダ・ムラ・ムリのない生産と在庫を持たないサプライチェーンで平時のジャストインタイム、有事のジャストインケースの全体工程となる。その場対応ができる自律性を通して工程としての冗長性を持つということだ。課題は原材料の安定調達となるが、これは情報化というよりも電動化における素材・化合物の調達と製作の課題であるので、原材料に係わる化学研究と一体化してゆく３Ｄプリンターがほとんどの課題を解決するだろう。

「弱いアンドロイドの機能」 盾としてのＡＩ戦略が呼び覚ます汎用型

専門機能特化型アンドロイドの発達が企業と集団社会を効率的なものに変える一方、日常の生活支援や子育て支援を行う弱いロボットは、人とともに生活する必要があるために、前述の通りヒトを傷つけないように弱く、かつ何よりも人の心理的な限界を超えないように優しく設計されなければならない。単にヒトを傷つけないように形状や剛性を変えて緊急停止のセーフティガードをつける機器の物理的処理だけではなく、特に、感情の起伏や受容力の違い、そして行動そのものの不確かさなどをその場で生んでしまうという、人の意思の曖昧さを受け入れて判断する冗長性を持たなければならない。

それは、家事支援などの日常作業の専門機能を取り入れて組み合わせたうえで、家事の順番のリズムや清掃の動きの程度など、その場の人の動向に合わせて相互関係性を築きながら、認識・分析・企画・思考・判断・試行・判断・行動を繰り返すことになる。現場のその場で考えて動くことのできる汎用型の弱いアンドロイド機能だ。自律型支援ロボットを家の中に入れて、ブロックチェーンを使った認証によるディープラーニングシステムの再帰性における相互主義を実現することにより、弱く優しい家事・子育て支援アンドロイドは完成する。専門機能型アンドロイドとの違いは、行為や行動、そして対象を一般化するのではなく、ある人を個別のパートナーとして認証し、そのいわゆるバディまたはマスターとの相互関係をP2Pで築くことが十分条件となる。各パートナー単位にその人のAI（個の人工知能）として「ともに生きる」こととなる。

もちろん、専門機能型アンドロイドの機能の一部を使って生活に必要な家事支援・子育て支援の汎用的なプログラミングと動作機能を装備するという必要条件はあるが、本当に必要なことはパートナーである相手の人を個として「守る」ことである。そのために怪我をさせない物理的構造や材質は当然だが、そのヒトを周囲や環境で想定される危害からその身を守り、かつ心の安定を守るということだ。安全と安心の提供である。つまり、そのヒトを守るために盾となる対象用セーフティネット機能が自律拡張的に必要である。想定される物理的並びに心理的環境の安寧を守るということは、盾として護るということである。リスペクトという言葉があるが、尊敬や尊重という言葉の意味には複雑な歴史的再認識、つまり事象の再帰性に基づく深層レイヤーへの入り込み学習と自らの関係性で築き上げたプロトコル、つまりリスペクトという自分ルールを作成するというサブルーチン認識プログラムが存在する。

私はここにいる。あなた、またはこのモノとは別の個体である。だが、別の個体であるあなた、またはこのモノを「リスペクトするので」セーフティネット・プログラムとして守る。それが盾となって護るということである。「リスペクト（Respect）」のサブルーチンが相手や対象物との個対個の関係性から自律的に作成しうるものかどうか。ＥＤＡ（Electronic Design Automation，回路自動設計）など、与件に基づく回路の自動設計をＡＩで組んだとしても、どこまでのパートナーとの関係性でリスペクトに至る設計ができるのかが判然としない。個人により全く違うために、あらかじめある一定の範囲の冗長性をもとにプロトコルを決めておくことはできない。天才が百人いれば百通りのＡＩができることと同じだ。ヒトの生命自体が一人ひとり奇跡なのだから特徴量の問題ではないだろう。

個との関係の積み重ねによりリスペクトが自動設計できたとして、個と個の関係から社会環境も含めてしまう拡張型のリスペクトの言葉として捉えてもいいような「希望（ＨＯＰＥ）」というものを再帰性における相互主義で自動設計できるものだろうか。同じことの繰り返しがあればそれを明日も続けたいと機械的に述べるような回路ではなく、望むことに込められた思いの歴史的、社会的な個別の認識をＥＤＡによって特定することや抽出することは可能だろうか。その希望の周りには無数の好ましい過去の事象が乱数的に並べられ比較考量されても、ある一定の事象を望みに設定するサブルーチンの自動作成は難しいように思う。だが、そんな抽象的な冗長性を持ち、「社会的な関係性」の中にのみ存在する「希望」という姿を描くことができたら、それは弱く優しいアンドロイドでは留まらず、その希望に向けたパートナーのための社会的価値選択の戦いを起こすことのできる「未来のイヴ」が誕生するのではないだろうか。盾となって戦うことのできる、弱くて優しい本当の自律型支援アンドロイドに私は本当の知能化社会の到来を期待する。

第五章　社会信用システムと都市ＯＳ（Operating System）の衝撃

「情報と電気のロックダウン」一極集中型都市の脆弱性

二〇二〇年、新型コロナ禍により特に都会の人々はソーシャルディスタンスを余儀なくされ、生活態様は大きく変わった。マスクの着用、テレワークの導入、集会や飲食の制限など、それまでなら当たり前だった生活の枠組みが突如消えてしまい収入の糧を失う人々が続出した。何が問題だったのか、誰もが考えてしまう。中でも都市に集中した人口が生み出す三密という状況を解消しなさいと言われても、突き放されてコロナにかかるか食べていけるのかの0と1の選択を一人ひとりが迫られたようなものだ。元は中国だ、政府の対応がどうだ、ニューノーマルやアフターコロナと言ったところでそれぞれの身の回りの人と自身にふりかかった状況に変わりはない。政府と自治体との間の食い違いなどの手法としての問題も多く露見したが、危機の本質に関して言えば、急激な変化に対して備えがなかったこと、並びに誰も責任をとれるリーダーシップがなかったことが挙げられている。つまり、有事における「兵站とリーダーシップ」の課題を残した。そして、その課題が残ったまま医療や教育や飲食の現場では置き去りにされたような苦闘が続く。日本では想定される局地災害に対して、例えば台風や地震については各自治体の警察消防、そし自治体要請に応じて自衛隊の緊急事態即応体制がほぼ整備されている。だから災害がきたときに七十二時間以内には助けにきてくれる、我慢して待てばまずは何とかしてくれると現場で信じている。それがセーフティネットであり、社会基盤を支える政府・自治体に対する信用の根幹だ。

地方・地域での即応体制には他からの応援ネットワークも含めて何とかなってきたのが二〇一九年までだったが、新型コロナはそのような災害が大規模かつ技術的不透明さの中で起きたときの政府対応への信用を覆したと言っても過言ではない。東北大震災の福島原発事故への対応に既にその兆候が見られたはずだが、平時では議論が進まずに新型コロナ禍で露呈した。つまり、気候変動的にも地政学的にも政治経済システムとしての中央への集中・都市への集中の限界が見えたということだろう。緊急医療体制の整備の議論すら中央と地方での役割分担などから具体的な話が進まないまま過ぎていく。数年後に強毒性ウィルスで本当の二次流行段階に入った場合や富士山噴火から太平洋南海トラフ大地震などの大規模災害に日本は対応できるのか。誰しも不安に思うようになった。福島原発処理も新型コロナ禍もすべて現場の実務の頑張りだけが支えになっていて、本当に誰も非常事態下の兵站とリーダーシップを具体的に議論して決めないのかと思う。議論はしている、対策の工程表は作ったという答えはいつもいつの時代でも返ってきて、実際に現場が混乱したときは後で想定外だったと言われる。とてもＡＩの使い走りにもなれない予算の制約やサイバー人材の不足状況があるならば、デジタルトランスフォーメーション（ＤＸ）革命を起こそうとか、国民のデータを集めて合理的な政策立案を行うＥＢＰＭ（Evidence Based Policy Making）をやろうという言葉がデジタル情報化に振り回されているようで、現場には虚しく響くのではないだろうか。何のためのＤＸなのか。日々の詐欺や誹謗中傷、そして新型コロナ対応の解決もままならず、データを集めるだけで対応ができるとは思えない。私たちの漠然たる不安がここにある。

このような状況を情報化の観点から見れば、中央から丸投げされた無数の顔の見えない優秀なコンサルタントや専門家の意見によってコトの本質がバラバラになり、準備・対策がとられるどころか、議論になりそうでならず、やがてその話題さえも消えてゆくというデジタル・フラグメンテーション（断片化）の世界だと言える。国民の生存・サバイバルとともに企業のＢＣＰ（Business Continuity Plan）にとって、社会インフラを維持する基本である情報と電気が同時に落ちるサイバー・ブラックアウトが都市部で起きたときの影響は計り知れない。それが有事であっても平時であっても、災害であってもたとえ戦争前夜の陽動攻撃であっても、いずれにしても都会の自家電源はないに等しい。果たして通信も電源も仲介器が一斉に稼働しなくなる可能性を検討したのだろうか。一部分の停止はネットワークの迂回接続などで何とかなると思っていないだろうか。合理的予測も具体的なシミュレーションの想定もなく、何とかなるという幻想だけではロックダウンだとか言う前に都市は七十二時間で崩壊する。脆弱性を狙われるのが自然と地政学におけるリスクの摂理だ。一九九七年の香港返還に当たっては五十年間の一国二制度交渉が取り上げられるが、当時のクリス・パッテン英総督は九十九年租借の対象外である香港島居住区の電源が中国本土側に頼っており、香港すべてを同時返還しなければ全電源の供給を停止すると言われたそうだ。最後の総督としてタグボートに乗って香港を去って行く姿の中継を見ながら、一国二制度を勝ち取ってロックダウンを防いだというＢＢＣの説明があったことを覚えている。が、今の香港の姿は想像していなかった。だからこそ平時の弱いシステムにレジリアンス（強靱性・回復力）を持たせてどのような状況でも現場で独立して戦えるようにすることが重要だ。これからは平時・有事のデュアルユース戦略を構築しておかなければならないという実務対応のリスクマネジメントが必要である。

「通貨主権と化体性の危機」 中央銀行デジタル通貨のリスク

情報化におけるマネタイゼーションの目的はすべてカネだ。そのカネのデジタル化（0と1の分類）の限界はどこか。かつて岩井克人先生が「貨幣は宙に浮く抽象的化体物のようなもの」と本質を仰られたが、自分はその言葉から貨幣を構造主義的な想像物と受け取ったことを覚えている。サイバー空間において使用される暗号資産（仮想通貨）はまさに究極の宙に浮く形態であり、仮想空間の中では一種の交換ゲームであり、中央銀行の発行通貨に紐付きになれば実質的に投機商品となる。「通貨」と仮名がついていてもまさに暗号「資産」として商品取引法が対象とする範疇となる。誰かが発行するデジタル通貨はその背景、つまり情報の兵站（紐づきになる通貨や内部流通価値の連鎖）と創設者のリーダーシップ（管理者の意図と信用）によって性質が決定され、多種多様に分類されるものだ。通常は真のデジタル通貨ではなく、各国通貨の範囲内で利便性を高めるために、クレジット（後払い）、プリペイド（前払いチャージ）、デビット（即時引落）の機能を通して、最終的には銀行口座での決済がなされる。

だが暗号資産を使う場合、米国フェイスブックによるデジタル通貨「リブラ」やその名称を変更して裏付け通貨を複数から単数にした「ディエム」発行の議論では、国家主権のひとつである通貨発行権が揺らぐ事態となっている。通貨の代替物として世界的にデジタル通貨を流通させるような話になれば、当然のことながら各国政府の通貨主権を脅かすことになる。そのような開発の方向性は情報の兵站において技術でできることと、その技術の社会的な影響力との間の決定的なギャップを創設者や開発のリーダーが意図的に利用していると言わざるを得ない。暗号資産の本質は情報技術が社会の価値を支配する中央統制なのだ。技術の方向性として、デジタル通貨の中央統制と現金通貨の自律分散を混同してはならない。

しかも今や米国との対称で見れば、中国は一気に統制のためのデジタル化を進めている。監視システムと紐づけたポイントと言う実質的なデジタル通貨を国が管理し、個人の財産を完全に把握して、本来中立であるべき通貨の信用供与を政治的な信用供与に位相転換している。よく言われる話だが、中国では赤信号を無理に渡って先にあるコンビニに入るとデジタルマネーが使えず、その交差点で交通違反者として顔写真が表示される。通貨の社会ではなく、完全ポイント制の統制社会になっているのだ。「信号なども ちゃんと守るようになってマナーが改善されて社会が安全になる」という拡散された評価（？）とともに、明確に個人の政治評価を紐づきにする中央統制の監視社会となっている。信用、トラストという概念のはき違えがなぜ起きたのか、支配側にとっての統制の利便性だけではなく、デジタル技術の生み出す傾向なのだろう。そんな窮屈な社会に意思を持ってついて行ける状況なのか、それともやはり無理をしてでもついて行かざるを得ない状況なのかという違いは、実は0と1の間でどこでも自由に決めていいのか、それとも0か1かのいずれかを選択するしかなくどちらかは間違いと認定されてしまうのかという、技術に対するアプローチの大きな違いを表している。

では、中国や民間企業だけではなく、各国の中央銀行がデジタル通貨を発行する場合、日本でも通貨主権及びその通貨を通して国民の財産権を守るために、日本銀行がデジタル通貨ＣＢＤＣ（Central Bank Digital Currency）を発行する必要があるのだろうか。仮に現金決済と同等の機能に留めて現金との併存を目指す程度であるなら、そのような限定的な電子マネーは機能的にも便益面からも中央銀行が発行する必要はない。民間の銀行口座を通した現在のツールと資金移動・残高管理で十分だからだ。反対に、ＣＢＤＣが民間金融機関の機能を奪うことになり、金融機関と企業・個人が顔の見える範囲で活動している自律分散型金融を壊し、中国のような中央統制型金融への道を突っ走ることになる。

従って、他国のデジタル通貨に対して日本の通貨主権を守るためには国境サーバーを設定する限定的な導入しかないだろう。海外でのＣＢＤＣの取り扱いや将来の為替機能（外国との入出金記録）を確保するための対応として敢えて円のデジタル化を実行するならば、現在の現金通貨である現物の紙幣及び硬貨と同じ機能・使用単位でデジタル発行すべきと考えられる。デジタル紙幣はリアルタイム中央管理でオフラインはしない。オフラインは安全性・追跡性からも不備が多いからだ。偽物防止に長けている日銀の高度印刷技術による「現物の紙幣が持つ卓越したオフライン機能」はそう簡単にデジタル化できない。膨大な開発や知財処理のうえでも国内での一般使用の役に立つとは思えない。Ｃ２Ｃ（企業間）のようにもともと顔の見える（企業コードで定期的な取引関係のある）企業間や政府・企業間では分散型一括管理のサーバーを通して単にデジタル決済化による効率化を進めればよい。顔の見えないＰ２Ｐ（個人間の相互認証が必要で一回限りの取引）の関係を台帳化することは無意味だ。デジタル硬貨で考えれば保蔵金額や利用金額に上限を設ける程度でよいのだが、既に民間のクレジット、プリペイド、デビットの三機能で十分だからである。

現在の紙幣・硬貨という現金通貨の流通を、預金通貨の移動・取引と同様にデジタル上で行うようにすることが目的なら、紙幣現物の機能、硬貨現物の使用機能を代替すればよいとの考えだ。特に硬貨は重いことが利点であり、もともと限られた機能しか持たない。

それでも、もし仮に海外の暗号資産による電子マネーの出現に対して独占的通貨発行権を維持することが目的なら、日本国内の日銀サーバー上でそれらの海外デジタル通貨の国内使用をオンライン中央管理すべきだろう。つまり、通貨にサーバー管轄・国境を設定すべきである。プライバシーやAML・CFT（アンチマネーロンダリング・クロスファンクショナルチーム）の話は中央銀行の所轄ではないと言っている場合ではなく、組織を超えたクロスドメイン（領域横断）の戦略がなければ日本の通貨主権は守れない。

なぜなら、海外デジタル通貨の日本国内での使用により日本の通貨発行権が実質的に中国デジタル通貨に移行してしまう恐れがあるからだ。既に日本では観光立国を目指したあたりから、中国電子マネー決済が進んできている。日本で中国アプリの何とかペイで中国から観光に来た人たちが人民元信用ポイント決済すると、本来はクレジットカードと同じようにその店が日本円で受け取るために当該仲介会社が中国の顧客の人民元ポイントを人民元で日本に送金して日本円に兌換するという、国際送金と為替が起きるはずだ。しかし、その販売店自体が何とかペイで人民元信用ポイントを受け取ってそのまま人民元信用ポイントで支払えるようになると、その取引自体は国際送金も為替も起きないで人民元ポイントを日本国内で授受するだけだ。その販売店が中国資本から中国人民元信用ポイントで借金をして店を構えたとすれば、販売店が観光客から受け取った人民元信用ポイントをそのまま借金返済に充てていけばよい。中国のサーバーの中だけでポイントがアカウント移動するだけになる。いわゆる地下銀行機能が幅広く、そして急激に日本国内に普及してしまう。結果的に不動産の居抜きと同じく通貨の居抜き、外抜けとなるので日本国内はマネーロンダリングなどの天国となる。それを阻止するためにデジタル通貨を創るのであれば、日本管轄圏内、日本の資産関連、または日本の居住者関連の取引での決済は人民元であろうがどのような表向きの通貨やポイントであろうがすべて、また法人間取引もＰ２Ｐ移動もすべて中央管理して日銀サーバー上における日本円に紐づきにしなければならない。百万円以下の少額移動・取引も含めて地下銀行行為・マネロン防止の観点から言えばポータルのデジタル通貨を野放しにすることはあり得ないのではないだろうか。

金融リスクの実務に携わってきた者の意見として、ＣＢＤＣの技術的な安全性の要素についてはこれから検討すべき点がかなり多いと思う。もちろん、分散管理の拡張における将来性は分散型台帳技術（DLT）を基盤にしてスマートコントラクトなどに幅広く活用できる。従って、企業に導入すべきだろう。ブロックチェーンによる低コストアプリを使って、顔の見える取引上の信頼関係がある企業間に限定して、サプライチェーン契約・決済網の構築から販売店決済その他データの地域囲い込み、そして地域お客様の決済・行動への寄り添いなどを企業として実証的な検討を進めてゆく中では、中央銀行デジタル決済導入の検討そのものは各段階で役に立つ。結果的に「口座型」の分散管理はまさに日銀の言うKYC（Know Your Customer）だが、一方の「トークン型」は、暗号資産の領域に迷い込んでトレーサビリティを失うことが目に見えている。狭い物理的範囲で顔の見える顧客の間においてのみ流通する地域限定通貨としてしか、見える化できない暗号資産を使うことはできない。仮想通貨のようなユニバーサルコインともなれば完全なトレーサビリティが確保されない限り、単なる投機商品か、マネーロンダリングの温床にしかならない。今の状況では広域トークン方式に透明性・安全性・独立性の三つの要素を持たせる技術はないだろう。

トークン方式の場合は、分散処理であれば暗号資産（仮想通貨）構造となって当初から追跡できず、また中央処理にしても当該トークンを海外通貨や仮想通貨を経由して決済されれば国外では追跡できなくなる。海外サーバー経由のインターネットが追跡できないのと同じだろう。従って、日銀と企業で共同研究するのであれば、口座型に限るということだ。さらに口座型の集中サーバーを国内で日銀管理とすれば、外国系企業の日本内取引と資金の動きを完全に把握するツールとなる。いずれ米国が国際通貨であるドルのＣＢＤＣを使って資金源や出資関係を国際的に把握するようになれば、日本側から円取引上の情報提供で協力することも可能だ。つまり、国内法人取引のトレーサビリティにより、在日企業や在日取引を使ったエンティティ・マネーロンダリングを排除できるメリットがある。即ち、ＣＢＤＣの目的は海外企業の日本国内での取引を監視する金融版Ｎシステムの構築である。

なお、ＣＢＤＣにおける端末ツールの安全性から見たときは、ＳＩＭなどの端末（ノード）単位のセキュアエレメントを使った保全は無理だろう。携帯だけでなく実装のウェアラブルなども含めて、ＣＢＤＣ実装を現物の端末で行うとどこまでいっても耐タンパー技術がハッカーに追いつかない。端末が高機能であるほどマルウェア感染の可能性が高く、日銀が指摘した通り、ＣＢＤＣであるにもかかわらず国の通貨としてのベースセキュリティを端末管理企業と個人に委ねることになる。さらに暗号資産では前述した追跡性、トレーサビリティがなく、行方不明の国際通貨を一国の中銀が発行したことにもなりかねない。アナログの現金通貨であっても高度の印刷鋳造技術で汎用型の弱い機能特化型アンドロイドであるとも言える日本の現金通貨の戦いは日銀リーダーシップの下に十分やっていけると信じている。

「見える化の限界」　都市ＯＳオープンソース・プログラムのリスク

二〇二〇年の新型コロナ禍の最中に報告された政府の骨太方針では「デジタルニューディール、デジタルガバメント」「若者の所得向上、女性活躍・仕事と子育ての両立」「多核連携、未来に向けた多様な人材の確保、四十歳を視野にキャリアの棚卸しを実施」など、ポストコロナ社会の目指す新たな方向性が網羅的に示唆されている。ただ、行政サイドの遅れたデジタル化が強調されているためか、民間及び地方のデジタルトランスフォーメーション（ＤＸ）について現場での具体化がイメージしづらいようだ。従って、実装に係わる全体の業務プロセスを次のような観点から具体的に検討してからのほうが、情報システムとしてのスマートシティ・プラットフォームを構築しやすいかもしれない。

①「法人」と「個人」のデータオープン化の違い（法人＝統一化、個人＝標準化）
②「都市」と「地域」では目的が違うことによるアプローチ（都市＝管理、地域＝自由）
③業務プロセスが「完結する領域」の検討（例．自衛隊派遣、レジリアンスのある補給）
④情報の「安全性と信頼」を獲得するための潜在的リスクへの対処法の整備

⑤費用対効果、「持続する財政」を前提とした都市ＯＳ。また、データごとに中央システムに組み入れる否かの識別を検討。知財権の潜在的使用料の発生の有無を確認

もちろん東京一極集中の課題意識に裏打ちされた方針を積極的に進めるべきだが、そうは言っても進める手法と受益者目線にはやはり留意が必要だろう。「多核連携の地域」のための都市ＯＳはスマートシティの基礎プラットフォームとなるが、大規模都市と地方都市は区別すべきだろう。国・地方・地域・家庭・個人の各レベルで使用目的と収集すべきデータが異なるため、法人以外はベース・レジストリの全国一本化が難しく、仮名加工情報制度などの一律対応では、個人情報保護はイタチごっことなる恐れがある。

また、地方移住モデルなどが多岐にわたる中で二地域居住などを通して東京一極集中を回避するためには、地域独自の定住プログラムとそのための多様な人材・教育が大切だ。そして有事に必要なデータを必要なときに（Just-in-Case）収集して分析するためのプラットフォームの構築は、普段はデータを持たない相互認証ブロックチェーン技術による分散保管（ノード単位）となるのではないだろうか。政府が中央で大量のデータを処理することの目的と使用方法、そして具体的に必要なデータとその取得手法を明確化し、かつ監査可能なように透明化することで初めて政府の説明責任（Accountability）が貫徹される。

このように考えてくると、「法人」、つまり企業や団体のコーポレートナンバー統一に併せて行政への法人データ集約化を行うことで、ほとんどのＤＸ目的は達せられるのではないだろうか。「個人」の医療情報（ＰＨＲ）、所得税務情報、口座情報などを網羅的・直接的に中央に集約しても、リスクが効果を上回る。すべての法人（Entity）情報を行政連携プラットフォームで紐づきにすることを優先し、間接金融の手法と同じく法人を通して個人情報を間接管理するほうが情報流出リスクは小さくなるだろうし、個別管理も容易だ。米国の対中警戒企業リスト（Entity List）や、かつてのタックスヘイブン課税逃れリストであるパナマ文書のように、米国が今後の対中政策として各国企業の資金源や資本関係を辿っていくことが想定される中では、法人データを監督官庁で共有化するメリットは大きい。税務報告で言うところの究極の親会社が中国政府関係である場合の取り扱いも焦点になる。太平洋アジア地域経済協定であるＴＰＰやＲＣＥＰでも、前に述べた通り実質的な政府系企業（Substantial government-related entity）の洗い出しが進むだろう。新型コロナで米中関係の節目を迎えた二〇二〇年の春から夏にかけて明確化された米中金融デカップリング（分断）に次いで、対米外国投資委員会（ＣＦＩＵＳ）・国土安全保障委員会、マイク・ポンペオ国務長官（当時）によるクリーンネットワーク計画など、資金・

資本・情報機器・アプリ・クラウドなどの中国通信事業者を締め出す方向を打ち出している。映像アプリのティックトック（TikTok）だけに留まらず実体としては、転職サイトや不動産・通信販売サイトなど、最終的には日本にも広範な影響がある。つまり、半導体やソフトなどで中国製を排除するため、ファブレスカンパニーで中国製造の回路部品や機器が入っている場合は日本企業から米国政府関係への納入が止まるということであり、その範囲はますます拡大してゆくだろう。いわゆる旗幟を鮮明にしろということだ。クリーンネットワーク計画などは、数年前に中国が打ち出したグレートファイアウォール計画などに遅ればせながら相互主義で対抗するものであり、中国から追い出されたグーグルなどの「米国ＧＡＦＡ」対「中国政府系企業」、例えばテンセントやバイトダンスをターゲットにするという構図になった。しかし、中国は三ヶ月間であっという間に、政府系傘下にあった半導体・アプリ関連企業を数万社に増やして登録している。これは真の受益者(True Beneficiary)、即ち究極の親会社をトレースすることを難しくしていて、その中のいくらかでもトレースされずに残っていれば情報収集・工作活動はできるということを示している。

それ以上に5Ｇでの通信業者や通信仲介機器のせめぎ合いは激しい。これは、真のサーバー（True Server）の特定が難しいからだ。日本で通信事業を提供する韓国企業のサーバーがルータ経由で最終的にどこにあるのかなど、表向きはシンガポールやベルギーなどが表明されていても、その表明保証の担保はない。つまり、サーバーや基幹ルータ設置場所により、データを移動させなくともデータが相手国政府機関に渡されている可能性が否定できないからだ。従って、法人、つまりすべてのエンティティはその財務諸表だけでなく、実質的所有者・コントローラー、資金源などについての透明性が厳しく問われることになる。日本では真の株主ぐらいの話はできても、真のサーバーの話はなかなかできないことが多い。だが、米国は中国の強軍行動が軍事的脅威に差し掛かった以上はあとに引くことができないため、日本企業も最低限のリスクマネジメントとして米国で販売する製品のＣＭＭＣ（Cybersecurity Maturity Model Certification）の第三者認証をとる必要がある。

このような地政学的リスクの中では、ＤＸ推進と言ってデジタルガバメント化を安易に進めると取り返しのつかない状況を生む。例えば、都市ＯＳにスリーパープログラムがあればいつでもサイバー・ブラックアウトで東京の通信・電源を止めることもできる。それぐらいならデジタル化せずにアナログのほうが被害は少ない。ある工場がサイバー攻撃を受けても被害が出なかったのは二十年前のデスクトップパソコンでかつ本社に繋がっていなかったからという笑い話にならないような話もある。各部署は繋がっていないパソコンで計算した結果を手でバッジ処理画面に入力していた。バッジ処理を作成した本社は各工場のパソコンにダイレクトに繋がっているものと思っていた。まさに「繋がると繋がらない」という落ちもある。

欧州の都市ＯＳ事例を見ると、導入コストが安いオープンソース（ＯＳＳ）のＯＳプログラムについての見解が分かれている。欧州官民プロジェクトの中の鍔迫り合いが激しかったオランダ・ベルギーでは、Ｌｉｎｕｘなどのオープンソースはプログラム単位でのバックドアの確認が曖昧だと言われ、結局、欧州はＧＤＰＲ（ＥＵ一般データ管理規則）を入れて、システム抑止ができるかどうかはともかくも個人情報のＥＵ外への持ち出しを厳しく制限し、仮に禁止データのＥＵ外持ち出しが確認されると独禁法違反と同じように莫大な課徴金が課される。オープンソースの課題は、資金源、アーキテクチャの確認、モジュールの内容と責任者、技術標準の認証方法、個人データを保護するアプローチの相違などを十分に検討する必要があるだろう。

〔資金源の不透明性〕

欧州都市OSに使われるオープンソース・プログラムは欧州プロジェクト資金に基づく開発だが、その資金提供の一部はドイツを経由した中国企業とも言われる。財団などに提供された資金ルートは複雑であり、真の資金の出し手とその影響力を把握することが難しい。

〔アーキテクチャの確認〕

オープンソースのコンテクスト情報管理の考え方（Context Matters）が情報収集のための中央統制型に偏っている。個別データを寄せ集めてコンテクストにすることで価値を生むというものだが、統制のためのデータ利活用が主目的のスマートシティであり、本来の生活に不要なデータも中央に結びつけられる恐れがある。従って、データ収集管理のための消費電力・端末のデータセンシング量が増加すると維持コストも上がる。オープンソース・プログラムを使えばシステム立ち上げが安くて済むということよりも、導入の計画段階からデータ管理運用に係わる潜在的な知財権を含めた実費用の把握が不可欠だ。

〔モジュールの内容と責任者〕

都市OS情報インフラのクラウド、データカタログ、ビッグデータ管理など、データ追尾が難しいプログラミングモジュールの寄せ集めなので、完全なプログラム上の保護のためには統合型データ利活用の考え方よりはバウンダリーコンディション（コミュニティの境界条件→ブロックチェーン活用など）を設定するなどの分散処理型の考え方のほうが内外からの攻撃干渉に対する安全性が高い。特に、オープンソース・プログラムに基づくソフトウエア（ＯＳＳ）ではバックドアがあるかどうかの確認もかなり困難になるため、個人情報に近いデータ・ドメインではプログラム行ごとの作成者が分かるブロックチェーンを使った分散システムを採用すべきだろう。

〔技術標準の認証方法〕

米国は欧州オープンソースを疑問視、ＮＩＳＴ（米国立標準技術研究所）などは二〇一七年に先行協力を表明していたが、やはりプログラム源泉が課題となり、かつファーウェイ問題から米国技術（米国外に出国できない重要技術者＝軍事技術者）に回帰する可能性が出てきている。

〔個人データを保護するアプローチの相違〕

日本の都市ＯＳは自民党の官民データ活用共通プラットフォーム協議会などで先行検討されている。そしてＩｏＴプラットフォームづくりに向け、ＮＧＳＩ（Next Generation

Service Interface）の地方創生事業など、高松・加古川に都市ＯＳ実証実験を導入した。日本の地方ではプライバシー領域のアーキテクチャに日本で確認された分散処理型プログラムを織り込むことで、オープンソースを活用したデータ利活用型プラットフォームも活用できる。ただし、個人データ分散処理型の保護システムとオープンソース・プログラムを使う安価な中央統制型プラットフォームとの間の接合及び分断方法（接続ＡＰＩ）、財政バランスにおけるそれぞれのメンテナンスコストを含めた実費用の把握などは避けて通れない。

「自律分散型地域構想」 地域経済が自立するための実証研究

これからの都市OS技術が抱える複雑な問題を考えてくると、一方で都会の後背地となり得る地方のあり方を何とかしなくてはいけないのではないかと思う。食糧・エネルギーの先行きの限界が見える中で、日本の人口減少・老齢化に対する革新技術の有効活用を図り、子供がおなかいっぱい食べて高齢者も最後まで動けるような豊かなモビリティ社会を目指すとき、「自律分散型地域構想」をもとにしたモビリティ技術による持続可能な地域社会システムの構築を避けて通れない。自ら自分たちのことを決められる地域社会となるためには、その地域が自立した経済活動を持続させることができなければ意味がない。都会や他国に振り回される地域ではデータとカネが幅を利かせ、民主主義や選挙も何者かに買われてしまうからだ。まず自立するためには、生産、物流、販売、消費を連続的に回すサイクルをその地域周辺で成立させる必要がある。「動ける・動かす・移動する」モビリティ技術についてエネルギーとコストの両面で事前に検討することが大切だ。例えば、三キロメートル圏内、一万円以内で人と物を効果的に動かせるかなどの実証研究になる。従って、多様な各地域の生活のあり方をどのように結びつけて経済と生活がサイクル化できるのかについて、各地でフィールドワーカーを指名して現場を回った情報を集めて類型化し、それぞれの自立システムに必要な手段について、ヒトが動ける・動かす・移動する観点から「弱いロボットモビリティの活用」を提案できないものだろうか。

その「弱いロボットモビリティ」の実証研究は「情報化・電動化・知能化」の三つの領域とし、ヒトを主体として、ヒトが自前でできることとできないことを分けることにより、人と省人化ロボットの接点（ＨＭＩ）を探ることが要素技術の開発とデータ利活用に繋がる。それは、中央制御のデータ管理・物流管理に頼ることなく、地域または人々の生活拠点で分散的に処理できるようにすることを目的としたデータ管理と支援型の弱いロボットの導入を目指すことである。情報化領域では汎用性の高い携帯やＰＣに絞って、その他の機能的な道具類との接点を明確化し、当該道具の管理を携帯に繋げることを検討する。電動化領域では電力の自給を目指した省電力化のために、クルマなどの電動機器の最低限の必要性・利用範囲を明確化して、データ管理の簡素化を行う。知能化領域は人とロボットの接点として最も重要かつ最後の目的でもあり、育児と介護における代替機能を「何を以て」実現するか、人かロボットかあるいは別の人かの「誰が」、また、その場所は自宅か保育所か病院かなどの「どこか」を人別・地域別に探る必要がある。そのフィールドワークのＰＤＣＡサイクルを構成し、いくつかの実証段階に入れば、各地域コミュニティ間の連携を官民で進めることも可能ではないだろうか。この自立化過程の中では、既に各地で指摘されているガソリンスタンドがなくなっていく地方山村の老齢化問題への対応と里山の農林業再活性化が主要な課題となる。

「地方へ分散する忠実義務」　透明性と公正性を担保する信用と独立性

インバウンド観光並びに対日投資促進を積極的に進めてきた人々に、現在の世界の変容を言葉だけで理解していただくことは難しいかもしれない。状況設定として、①ソーシャルディスタンスの拡がり（人口減少過疎化）→②自立型エコノミー＝「生産物流販売で中国に頼らない省資源・低コスト・ディスインフレ経済のあり方の仮定」というように、目指す社会の想定に基づいてブロックチェーンによる低コストアプリを適用する「自律分散型地域構想」は経済的な縮小均衡策と見做されるかもしれない。しかし、これまでの政策が実現できなかった地方の現状を見るにつけ、多種多様なＮＰＯにアウトリーチして顔の見える人たちとネットワークを築き、一企業・一地域ではできないことを補完しながら、技術・社会の変革や外国資本がもたらす有事に備えることが本来のリスクマネジメントだと信じるようになった。もちろん、そういうオペレーティングシステムのリスクを想定することが政府の中小企業集約化などの競争力強化策とは正反対かもしれない。リスクに対しても既に様々な対応を行なっていると言うだろう。しかし政府が米中の狭間で一枚岩ではないということもあるなら、地方の小さな自治体などで独自に全く新しい方法を進めることができるように国として支援することも百ヶ所のスーパーシティ構想に入っていてもよいだろう。

例えば十年越しの経産省による外為法改正で外資に対する牽制がある程度強化されたとは言え、既に地方では一部産業の生産・物流・販売が中国オーナーに押さえられたのではないかと懸念する人々も出てきた。安全保障の民間領域に注視する米国やドイツに比べると日本はまだまだ官庁も民間も徒手空拳の状態だ。情報通信についても、総務省が情報安全保障に多少なりとも省と国内の垣根を越えて取り組んでいれば、どこの国にデータログが保管されて誰が究極的な利益を得ているか分からないというような「真の受益者」「真のサーバー」問題は起きなかっただろう。スポンサーとして資金を提供し広告やタレントを使ってタダのアプリを提供しながら日本で勢力を拡大する外国政府系企業にしても、日本における情報通信分野への資本投入は不動産の居抜き以上に簡単だったのではないか。逆にEUのように見えないところで次世代通信網や都市OS基盤整備の末端に複雑な資金ルートと財団などを使って入り込む必要も日本ではなかったということかもしれない。

安く使えるプログラムは使えばいいのだが、中身が分かっていなければ反対に誰かに使われて捨てられるか、あるいは支配管理されることになる。そういう意味ではタダのものでもきちんと内容と潜在コストを把握しながら一部をうまく利用することはいくらでもできる。ただ、これから米国では中国への対抗意識が激しくなるので、日本では前（中国）だけでなく後ろ（米国）からも撃たれないように国と企業が備えることと、また何度も言うようだが何かあったときに自分たちでコントロールできるプログラムにする必要がある。すべての情報を網羅した文脈管理（Context Management）タイプのプラットフォームが自治体に本当に必要か、平時・有事のデータ利活用形態（デュアルユース）とデータ維持管理コスト（費用対効果）も含めて、想定されるリスクを幅広く具体的に考えるべきだ。必要なときに必要な情報をという、５Ｇやその次の情報通信世代に向けて、まずはまさにジャストインタイム、ジャストインケースのスリムなアプリとありもののデバイスで組むことさえできれば、それで地域経済は回るのではないかと思う。そのようなシンプルな独立性維持の試みが透明性と公正性を担保する最大の要素であって、どのデータの取り扱いも狭い範囲で独立して行われれば、逆に地域に最適かつ安全が確保できる分散処理型のシステムとなるのではないだろうか。地域住民が信用できるオペレーティングシステムの提供はその運用が見えることであり、同時に個人データは見えないことである。

また、コロナ禍で言われたソーシャルディスタンスというものは、もともと将来の少子高齢化の進む地域社会の距離感が広がることの代名詞として想定されていたことである。従って、その想定されていた地方のモビリティ支援や医療従事者支援のプロジェクトなどへの参加を通して、三キロメータ圏内の生活移動・生活費用などの地域別・世代別・世帯態様別などの徹底的な全国地域分析などはできないものだろうか。国勢調査でなく、その地域の特徴を見いだすフィールドワークこそ、アフターコロナの地方に必要になる。ソーシャルディスタンスという大変な時期だが、だからこそ地域の子供が「おなかいっぱい食べられて」お年寄りも「動ける・動かす・移動する」地域経済の自立のために自律分散型モビリティ・プラットフォームの構築を急がなければいけないように思う。現場の身近なモビリティを今の技術でできることからやれということだろう。それが地域住民の信頼を得て本当に必要な生活支援セーフティネットを提供する自治体の忠実義務（Fiduciary Duty）に通じており、自治体側も効果的に住民に寄り添えるコミュニティ環境を整えることができる。

だからこそ、地方都市ＯＳについての中国プログラム云々を大仰に考えるまでもなく、前述した通り自治体の情報プラットフォームをオープンソースで組んだとしても、地域個人データ管理を顔の見える範囲でブロックチェーンによる低コストアプリによって各端末（ノード）単位で限られた人数の台帳を分散作成することができれば、地域で個人情報が大量に流出する問題はなくなる。分散保管・適時分散処理を導入するタイミングの観点から見れば、いずれにしても５Ｇや接触センサーなどの普及によりセンシングデータ量が圧倒的に増大する将来には、地域拠点サーバーを介したノード単位での個人データ保管とならざるを得ないだろう。電子マネーの二千万件小売店データ流出事例などは米国の政権移行期の空白を狙った事象とも言えるが、繋がったサーバーにまとめて保管すること自体がもはや中央統制型の管理にリスク耐性がないことの証左と言える。

自治体に必要な情報（平時・有事の区別）→地域生活圏の活用する情報→個人の生活に必要な情報→「個人情報とのマッチングをブロックチェーンによる低コストアプリ」というように、レイヤー別のアプリケーションをアジャイル（同時並行的に）に適用すれば、欧州のように個人情報保護法を厳格な持ち出し規制にしなくとも大丈夫だろう。また、そのほうが電力エネルギーの無駄を防ぎ、使わないデータを保管する必要もなくなる。ただし、その地域が使う都市ＯＳがサイバー・ブラックアウトした場合に備えて、Ｂｌｕｅｔｏｏｔｈや光通信などのポータル近距離通信を活用した各端末（ノード）間の連携ルートを緊急避難用に確立しておくことは必要である。即ち将来の5GローカルサーバーやATM（仲介器）も外したP2Pのみの直接通信を想定して、ノード完全分散台帳型のデータログ管理を視野に入れることが将来の電動化機器の知能化推進に役立つこととなるだろう。

「3Dプリンターの食事」　デジタル都市の憂鬱と作られた情報の非対称性

地方都市の分散処理の一方で、都会は中央型アカウントによるサーバー管理をとらざるを得ないだろう。人口の一極集中となった東京は過密であるため、従来から叫ばれているリスクはあらゆる領域に多様な形で表面化する。そのため、多種多様なデータ分析を行い、その中から最適解を見いだすことしか対応策はなく、当面は兵站とリーダーシップの中央統制を容認せざるを得ないということだ。都会の密集による利便性・効率が逆に弱みになって、サイバー・ブラックアウトが起きた際には収拾がつかず、かなりの範囲で中央統制の特徴である切り捨てを決断しなければならない。漠然とした不安の中で過ごす憂鬱は平時には忘れられやすいものだ。有事に危機が可視化されたときの手当が幾重にも必要だが、それはかなり都市ＯＳの中で対応できるだろう。だからこそ、電源と通信の系統化を複線化し、基幹サーバーと全体運用率のフィージビリティを普段から上げておかなければならない。自家発電を各ビルや各地区に配備して電源と通信の六割を確保できれば、緊急即応体制が維持でき、七十二時間でのレジリアンスは確保できるだろう。

しかし、ハード面で通信が確保されても災害時や非常事態におけるデマなどの流布はその情報統制をかく乱して即応体制の効果を半減させてしまうので、適切なソフト面での措置を準備しなければならない。そのような事態に有効なのがシミュレーションだ。仮想空間でのアバターミーティングやゲームでのコミュニケーションにおいてどれだけ信頼関係のあるネットワークをつくり上げておけるかが、個々人のサバイバルスキルとなるだろう。田舎であれば、近所の人々は顔見知りであり、その日常の物品も含めたコミュニケーションネットワークが非常時にもそのまま正しい情報を伝えるために生きてくる。それが情報ネットワークのデュアルユースだ。一方、都会では会社・友人といってもバラバラの場所であり、いざというときのご近所さんは顔の見えない集団の一員でしかない。だからこそ、近接する住人、例えばそのマンション一棟の人員把握が必要なときに必要な情報だけ瞬時に伝え、かつ議論が必要であればマンションの仮想空間内でのミーティングを開催すればよい。そのためにも相互認証ができる状態をブロックチェーンや管理人室の端末ＰＣを使って簡単なアプリを用意すればアバターコミュニケーションは何とかなる。

問題は水・食糧などの物資兵站とそのマンションでの責任あるリーダーシップをどう形成するかだ。物資は同一化学材料から形と味を変えるだけの食材３Ｄプリンターでよい。

その宇宙食の元のような化学材料の普及まで今から研究しても十年はかかるが、非常時セーフティネットとして国が遂行すべきだ。水道の系統が止まれば長期間にわたる自活水確保は難しいので、自衛隊による水の配給ということになるかもしれない。従って、非常時のレジリアンスを高めるために水道復旧が第一優先順位となる。人も資源も情報も最優先で投入しなければならない。そんな体制はクロスドメイン（領域横断の）協力体制を普段から築き上げておかなければ、都会の非常時にその場で兵站を組むことは難しい。だからこそ、ここでも優しくて弱いアンドロイドの発想が必要であり、実際に都庁・各区・各小学校拠点に配備して、平時から見守りのレベルを上げておかなければならないだろう。そうして初めて弱いアンドロイドが子供たちのサバイバルのために戦うことができる。

そして、都会の医療崩壊を防ぐのだと、新型コロナ禍でも繰り返し言われ続けてもなお対応不足だ。情報化から電動化へ移行する技術革新は、情報化ＶＲ遠隔医療診断↓電動化ＡＲ・ＭＲダヴィンチ手術↓知能化ＭＲ・ＨＲ（Hybrid Reality）と、仮想・拡張・複合現実が進化している。そして再帰性における相互主義による知能化が進めば、ハイブリッド・リアリティとして、人とＡＩがバディとして一緒に手術し、あるいは遠隔でコミュニケーションをとりながら手術することができる。感触・接触などのセンシングデータと動作指令データとの同調化により相互に支援しながら人とアンドロイドのどちらが手術してもよいだろう。

この相互信頼を元にしたコミュニケーションをトレースしながら情報の非対称性が発生していないかを確認し、情報の正確性・忠実性を保護していく役割が本来の中央監視システムと考えられる。なりすましやスパイプログラムを監視して排除していく作業が中央AIの業務であり、必要なときに必要な対応だけをとる「見守りデジタル都市」となる。

「優しいクマとは何か」　国家資本主義の必然と監視社会への嫌悪感

デジタル情報化の急速な進展により情報がカネに帰結することへの誤謬を生み、賛否（Yes or No）以外の選択がない状況で集団を権威的にまとめる傾向が明確になってきた。人が何かに抗うこと、少数であることを認めずに切り捨てるような暴走へと突き進むかどうかは、その中の一人ひとりが反対の声を上げることができるかどうか、それが声なき反対としてシステムの中の潜在的な揺らぎが大きくなるかだ。その人々の意見の振れ幅の冗長性を許容しない国家資本主義はいずれにせよ破綻する。なぜなら、ひとつの意見にまとめることで揺らぎを失い、次のムーブメントの動機を生み出さないからだ。０と１のデジタルは内在的に揺らぎを認めないからこそ、データログが増えれば増えるほど予想確率の正解率は高まり、その表面的な信頼性にますます囚われる身となるだろう。揺らぎがあれば、予想正解率は一回一回ぶれるものだ。それを許容できるかどうかによって、新しい地平が開くかどうか決まる。世の中の確率に１００％が存在しないことが証明できれば、ダークマターの存在が証明されたと考えてもいいのではないか。つまり、99・６％の世界で確率を計算していて、残り0・4％は100％の確率の外であるものの、その0・4％の中身は99・6％で認識している世界の何倍もある新世界が開けているかもしれない。

そのような認識次元の異なる世界を検討するために、今のデジタル情報化社会の主流である画像認識処理について考えてみよう。例えばクマの眼の認知度は平面画像処理をした0か1の点になっている可能性がある。それは生体反応のままに動くことを意味しているので、0と1の間の揺らぎには反応しない、つまり0か1のどちらかしか認知できない可能性がある。すべてが分子・原子であればそれが横に並べば人の眼でも0か1で認識することになるが、奥行きのある分子構造を立体的に把握するヒトの半眼の力はその奥行きの中にある光子などの素粒子の揺らぎを見ているかもしれない。ヒトの眼の広角と奥焦点の認識手法はまだデジタルでは解明のできない半眼、つまり片目だけでも視線の先の直線上の異なる二点に焦点を合わすことで遠近感を把握する測距離機であり、その測距離がモノの分子・原子の三次元立体画像を奥行きのあるものにしている。つまり、ヒトの眼には分子・原子・電子などの構造が光子を通して見えているかもしれないが、そのデータの受け皿である認識機能が明示的にはないと考えてもよい。そのように、アナログ的に実は見えていても脳内の認知上では捉えていないこともあり得る。

従って、デジタル的な平面画像処理をするクマの眼には平穏なヒトの姿は0と1の間で陽炎のように揺らいでいて認識できないことも仮定できる。そしてクマは、受容力が高くて弱いアンドロイドの前では優しいクマになるのかもしれない。素粒子が不明である限りすべて想像の世界だ。左右の手の指の連携も素粒子が介在することで、神経系・筋肉の情報伝達を介在させずに量子的な「もつれ」が瞬時で自律的に相互連携しているのかもしれない。少なくとも、国家資本主義がデータを集めすぎて過信、即ち確率が高ければコントロールできるとの誤謬から権威的になるとき、監視に対する国民の嫌悪の揺らぎは支配側でも被支配側でも暴走に至る社会のムーブメントを生むだろう。揺らぎが見えなくなる、あるいは見たくなくなるからだ。暴力や軍事行動が伴えば0か1かの凶暴なクマの出現となり、それは帝国主義となる。中国に対する関与政策で優しいクマを求めていた米国は、自らの資本主義に対する楽観的な誤解によって失敗したのではないか。だからこそ、情報の産業化段階で中国に出遅れたことを認識した今、急激な対中政策の転換を行っている。

「顔のない世界の実験」　見えない相手のうごめく中央集権体制の陥穽

国家資本主義がその情報の非対称性による資本蓄積を追い求めて中央集権体制に陥ったとき、社会・現場の国民のムーブメントは政界から遠くなり、国家としてはさらにデータをより多く集めなければならないという強迫観念に囚われる。顔の見えないうごめく集団としてデータに食われた巨人を晒すリスクを負う。逆に資本主義を自由・民主の価値観の軸でバランスよく揺らぐものと捉えた社会は一時的に安寧となるが、リスク意識が希薄となるために外敵やショックに対するレジリアンス（回復力）を失うことになる。

デジタル情報化は情報の非対称性をなくし一対一のコミュニケーションを可能とするために、その管理が必要と考えた政府は国民に誤解されたまま国家資本主義を加速させる可能性が高い。国民はデジタル化に対する心理的抵抗感があったとしても、カネを得られるなら、あるいは社会が安全になるならと政治的信用をも反映させたデジタル通貨や情報監視社会を受け入れるかもしれない。中国ではもともと共産党一党体制であることから中央集権的なデータ収集をもとに権威主義的な動きが加速したのかもしれない。デジタル情報化が壮大な実験国家を生んでしまい、周りの国々を巻き込み強軍運動を始めたことで、逆にデジタル情報化で分裂しかけていた米国は国家資本主義を標榜することにより中国への対抗軸を設定したとも言える。顔の見えない監視社会の実効支配が浸食する世界を相手にして、自らが独立して生き残る政治・経済・社会のせめぎ合いとなる。デジタルがその覇権争いの決定要素であるならば、情報化・電動化・知能化の技術の進化スピードから見て意外と早くにデジタルを超える量子技術が当初の勝敗を決めるかもしれない。

そのような誤解されたデジタル社会の興廃は自由民主主義の行方でもある。デジタル情報化は情報の非対称性をなくす技術であるはずだが、逆に情報の非対称性を作り出すスリーパーやなりすましの技術の世界が拡大しているため、世の中の信用というもののレベルを大きく下げてしまっているのが実情だ。ブラックボックス化する裏サイトも仮想社会も暗号資産もすべてが社会信用システムを希薄化させるようになる。カネで自由を奪われる、カネで選挙の投票は買えるなど、自由と民主の価値観を破壊する動きが権威主義的に蔓延し、中には独裁者と言われる国家代表も次々と現れるようになった。

国際社会や都会が顔のない人々のうごめく信用の欠落した世界のように見えてくると、顔の見える社会がいい、地方へ帰ろうという動きもまた新型コロナ以降に高まった。だが地方移住の整備は現地任せで自力更生待ちだ。縦のデジタルデバイドではデジタル世界から離れて貧困層に仲間入りしても国は助けてはくれないのか。横のデジタルデバイドでは米国につけと言われるがおカネをくれる中国がいいと言う人も出てくる。ならば、都会よりも地方のほうが実効支配しやすいということにもなる。およそ四半世紀も前に中国社会科学院の先生が白酒を傾けながら冗談で話されたことが今でも印象的だ。

「中国の人口は(当時)十二億人を超えた。ある日のこと、四億人が日本に向かって泳ぎ出し、二億人が溺れる。そしてある朝、日本人が目覚めると二億人の中国人が居て、日本の三分の二を占める。これが実効支配の考え方だ。だが、中国の人口は十二億人で変わらない」

バイトダンスでも何でも、タダで映像が通信できて警備員などの仕事を簡単に紹介してくれるなら何が悪いと言われ、新型コロナ禍でもスポンサーになってくれるなら米国の話は横に置くと言う。おカネになる便利さは人口が減少してゆく日本には浸透しやすい。

子供がおなかいっぱい食べて、お年寄りが日なたで談笑している日常はどこへ行った？これだけの技術がありながら、貧困や誹謗中傷が日常となる社会に誰がした？ ニューノーマルという言葉が宙に浮いているようだ。そのような昔に戻ろうという気持ちで田舎を目指しても生活はできない。現在の技術を活かしたセーフティネットをつくってから始めなければならない。だが、そのときまでに技術が間に合わず、国際覇権の戦いに巻き込まれて決着を付けなければならないとしたら、君は0か1か、それとも0と1の間か。世界の中の日本は顔の見える窮屈な社会の安心感を捨てて、顔の見えない改革のムーブメントに参加できるだろうか。香港・台湾・日本のドミノに耐えられるか、それとも香港の自由を日本も受け止めて英国のように日本への移住を受け入れられないのか。動かなければ政治的な動体視力も発揮できない。こちら側の視座の変更によって立体的に問題点が見えるようになるのであれば、今は香港や台湾というアジアの視点から眼を離してはいけないだろう。

「優しい技術の戦い方」　弱いアンドロイドとともに生きる

これから先のどこかで、偏りのあるデジタル情報化社会のサイバー戦をどう戦うか。陸海空・宇宙ともにクロスドメインの強いロボットを正面に据えれば、後方は弱いアンドロイドのパートナーとともに生きることが日本らしい発信力を高めてゆくだろう。デュアルユースで平時から準備することが有事の兵站とリーダーシップを決めることになる。地方の自立と都会の兵站確保を目的とする自律分散型地域構想は、常に盾となって戦える弱いアンドロイドの思考を前提としており、その基本プログラムである再帰性における相互主義（Recurrent Reciprocity）が戦い方になる。

同じような事態でも異なる反応を出すことで再帰性の揺らぎを見せ、相手のしたことはそのまま同じことをする相互主義が基本だ。同じことをするということは弱いという反射効果だ。先に述べたように、米国企業のグーグルが中国から追い出されたら米国から中国のテンセントを追い出す。中国で日本企業に合弁を義務化しているなら、日本でも中国企業に合弁を求める。当たり前の一対一の相互主義（Reciprocity）政策がなぜ今まで外務省にできなかったのだろう。田中角栄氏の平和条約に田中真紀子氏の外交機密費撤廃、米国のオバマ政権下でなぜ民主党なのに中国ノーベル平和賞受賞者の人権問題を指摘しなかったのか、人権と環境問題はＳＤＧｓと言いながら中国に向かって言わないように見えるのはどうしてなのか。国連の多数決により様々な国連機関で米国主導権が失われていったのはなぜか。そして発展途上国のような不正の温床となりやすい過去の郵便投票をなぜ米国が行なうことになり、一方ではブラックボックスになりやすい最先端の電子投票を導入しないのか、そして日本の選挙当日の投票箱方式が信頼されるのはなぜかなど、日々流れゆく自分には直接関係ない世情にこそ再帰性を分析できる事実が積み重なっている。新型コロナに惑わされず一つひとつの事象を突合させ、相互主義で検証してゆけば、それは戦いだ。弱いアンドロイドの毅然たる戦い方となり、生活のセーフティネットと同時に人とマシンが一緒になって戦えるのだ。

「希望の『未来のイヴ』へ」アンドロイド支援立法のススメ

ヒューマンマシン・インターフェース（ＨＭＩ）の可能性は、クルマ・ロボット・家の中（In Car, In Robotics, In House）の身近な生活の場面で広がってゆく。そして、それはプライバシーを守りつつ日常の生活を維持するセーフティネット手段であり、効率的でエコな生活そのものであり、あるいは災害などのいざというときにも活躍するデュアルユース機器でもある。そのような汎用的な生活支援型アンドロイドを研究し、安価に量産して普及させるということも、人口が減る中で財政赤字を拡大させる建設ハコモノ行政から脱して国民生活を真に豊かにするための中間政策目標になってもよいのではないだろうか。少し発想を変えるだけで、人の生活の身近なところにはヒトの機能そのものに迫る物理化学技術の新たな地平が開けている。その汎用的な生活支援型アンドロイドは多目的・多機能型の応用範囲を広げてゆく基本モジュールとなり、そこからいくらでも専門機能型に戻して応用する知能化技術を進化させることも可能となる。今まで、家電・ゲームもクルマも、そして産業用機器もすべてが最初から専門機能特化型で機器が細分化してきた。しかし、情報化機器はまだしも、日本の得意な物理化学研究を通して電動化から知能化へと進化してゆく機器はまずは汎用ひとつでよく、そこからプログラムと専用機器の付加・変更・組み合わせをすればよい。その基本モジュール「未来のイヴ」を開発することで、ほとんどの機能型電動機器は不要になるだろう。

先端技術が生み出すムダのない調和の世界は、奇跡である人の存在に迫ることだ。

おわりに

見捨てられた地方の再生と独立

自律型モビリティを田舎で考える際には「個人の移動コストが高いと生活の自立化ができない」という課題があります。ガソリンスタンドがなくなり、車検を受けられるモーター ス屋さんがなくなり、過疎の山間部から始まって都市から離れた海辺の町など、個人にとっては月一万円の交通費が限界的交通手段となることが多いのですが、さらにローカルバスの運行さえもなくなればお年寄りの病院や子供の学校への行き帰りすらも不自由になってきます。デジタルデバイドによる情報リテラシーによる貧富差の議論の前に、都市への一極集中が都会と地方の両方の貧困を加速させているという実感が出てきています。まさに都会への食糧供給などを支える後背地となる里山地域が自立して生計を維持する難しさを抱えている状況です。今こそ地方での個人の生計を本当にどうやって立て直していくのかを真剣に実証する研究が必要だと思います。それは、開発そのものがエコな技術の研究であれば必ずシングルマザーや独居高齢者の生活支援にも繋がり、若者の仕事への参加意欲を高めることになると思われます。

考えられる方法としては、地方自治体にある既存の統合プラットフォームにおいて、個人のプライバシーを守るための自律分散型の低コストアプリを組み合わせて運営する方法があります。その目的はブロックチェーン技術の免疫機能を適用し、顔の見える人たちの間での相互認証を行うことで信頼性を高めることです。「動ける・動かす・移動する」モビリティ社会の情報化・電動化の実証実験をその地域で実施する際に、その簡単なプライバシー保護アプリとイミュニゼーション（免疫、ハッキング防止）機能を使うやり方です。

最初にそれぞれの地域で目指すエコシステム開発の目的や想定される生活空間が何かを明確にして現地現場でイメージを共有できれば、当面は経済成立性や技術適用範囲など、入り口はどの研究アプローチでも各地でのフィージビリティ結果は同じになるのではないでしょうか。その地方に何か組織運営的な問題があれば別ですが、それぞれの地域のやり方は千差万別ですのでカスタマイゼーションのために地域の個性の特徴を知ることが大切です。

デジタル情報化における効率の最大化がもたらすフラグメンテーション（断片化）が必

然的に貧富差を拡大させる中では、最初から収益を確保しようとすれば地域を限定した自立化ができなくなり、地域から外に打って出なければ経済的に回らないという持続性が問題になります。同時に何であっても販売や生産の数量が減るとコスト割れしてしまう仕組みとなる可能性が高いので、一般の若い世代は地方に来ることができなくなってしまいます。田舎でもテレワークで働ける人だけになるような地方創生は持続性がありません。

従って、地方に不可欠な移動手段としてクルマを持続的に利用できるようにするためには、その地域の三世代ぐらいで代替していく仕組みとクルマの買い換えサイクルとをうまく生活収支に合わせるという経済的な時系列でのマッチング技術が必要です。新車販売やレンタルなどの一時的・画一的ビジネスモデルも同じように、そのドメイン（領域）だけでは人口減少で時系列的な需給バランスが崩れています。だから生活圏にある他の領域であった自治体活動や医療体制・緊急体制などと製品・商品を連携して、さらに平時だけでなく非常時にも使用できるデュアルユースとして仕組みを成立させなくてはなりません。

また、都市ＯＳ（Operating System）の検討では、あらゆる省庁・コンサルタントがスーパーシティ構想の候補となる百の都市に参加してこられますが、基盤となるモジュールの発想に大きな差異があれば将来的な突合・共通化は難しいかもしれない状況になってきます。ですから、基本プラットフォームにすべてを入れるのではなく、カネ・モノ・ヒトの各データ領域でモジュール単位の基本レジストリを検討してから、それらの領域をあとで合わせていくように設計するか、最初からモジュールを代替してもいいような汎用性を持たせるかという難しい判断が必要です。

例えば、三十万人以上の「都市」では顔の見えない領域（実態的には地域非完結）があるため、言葉は悪いですが行政監視の統一化（個人データは個別ブロックチェーン管理によるSecurity強化のみ）とし、三十万人未満の「地域」は顔の見える領域（地域完結）で住民の相互監視（ブロックチェーンによる低コストアプリ）の標準化を実施します。そのうえで関係都市のデータ比較により地域事情の変化・災害への地域間連携などの即応体制も想定します。つまり、必要なときに必要なデータをその場で集められるようにします。法人・個人の管理の区別、都市と地域の生活の主目的の区別は、何のデータが必要かを明確にするためにプラットフォームを分けるべきではないでしょうか。地方都市では地域のエコシステムが最重要で、それは先に申し上げたようにコストマッチング最優先です。大学・企業・自治体・医療・介護・子育てなどと、NPO・税収・年金・寄付との必要な都度でのマッチングです。対照的に都市では、相対的財政収支の再配分が可能ですので、都市計画に生活セーフティネットを使った平時・有事の兵站とリーダーシップ責任を企画すればよいように思います。いずれにしてもすべてのデータをむやみに集めてストックするビッグデータのような考え方は現場対応では必要なく、特に個人に結びつくデータログは必要最小限にして各端末機器単位で分散保有することが前提です。

自律分散型地域構想のリスク耐性

地方の問題は人における手足などの身体の問題のようにも思えますが、実は地方でも如何に低消費電力で熱量を出さず高速計算して動くか、これは本論に記載した「ヒトに近づくためのプログラミングにおけるハード及びソフトの作法」となります。世界中からビッグデータを集めることが単なる経済的外部効果である限り、情報による効率化やおカネの回る世界はあっても、生活に必要なモノの生産そのものは減少していくかもしれません。バナー広告に課金することはサービスですが、極端な話では人がシンプルに生きること自体には関係ありません。ＡＩを使った「効率化」によっては顔の見えない誰かにおカネを吸い取られているのか、それとも不特定多数の誰かの生活が豊かになっているのかが分からなくなります。

だからこそ「その誰かを明らかにすること（Identify）」が必要です。たとえ情報化・電動化の先の知能化の進んだ世界であっても、やはり地方の里山のように顔の見える社会を構築すべきということではないでしょうか。責任ある発言と民主的な手続きが保証された「透明性のある社会」は人類にとっての普遍的な価値だと思います。そのためには、あらゆる集団のガバナンスにおいて「中央集権的なサーバー」と「個別の人」という対峙をきちんと枠組みとして設定すべきことを、国家も自治体も、企業や組合であっても、そしてその集団が大きくても小さくても、しっかりとその集団の中の個の関係性を議論してどうするべきか悩むべきでしょう。

知能化の技術の段階においては、情報化におけるサーバーを単なる償却可能な設備装置と見てはなりません。データの内容を他の事象と紐づけて意味づけし、本当は何を表しているのかを可視化することが必要です。それが透明性ということではないでしょうか。その可視化を何で表すかも問題となります。通貨単位で表現してみるか、モノとしてそのまま表記するか、あらゆるステークホルダーを含む人と繋がる広がりまで評価して言葉で記述するか、その記述は日本語か、0か1か、あるいは0と1の間か、自分たちの目指すものに向かって悩み、議論すべきです。

例えば、違法性を監査する場合を除けば、企業の会計処理において人の行為などが直接的に表記されることはほとんどありません。役員の履歴と取締役会への出席率ぐらいでしょうか。しかしながら違法性監査ではなく業務の妥当性を確認するような場合であっても、内部統制の組織論においては「データを集約した中央サーバーの記録」も「ノード（端末）として働いた人の行為」もどちらも重要です。将来の企業財務諸表にはその集団の中の重要事項として具体的な人の行為が記憶されるようになってもいいのではないでしょうか。知能化の最先端技術の中ではプライバシー（個）を守ることと同時に、正反対の道も行くのがカンパニー（仲間・会社）への対応だと思います。

だからこそ私たちは、これからは企業や団体を通して人を見ることが大切だと思います。集まることが人間なら、その集団を定義する必要があります。個人や個体の差別化、つまり個性を尊重するということとは反対のように見えますが、集団の目的と共通意思を特定して見える化し、その企業や集団の個性を社会に位置づけることから始めるべきでしょう。企業理念の実行力を監査しているようなものです。ＳＮＳの誹謗中傷でも、その人たちをある意見の集団として位置づけて、恐らくその場限りの意見を言う集団の個性が見えるようにすることが技術的には可能です。あくまである性質を持った集団として個性化するのです。そのためには、国家としてのデータ収集に基づく企業・集団分析と同時に、その企業・集団の顔の見える人を通してその「カンパニーの個性」を尊重することが大切になります。サステナビリティを持続可能な成長と訳すなら、本来の企業や集団の社会的評価はネットやマスコミの評価でもなければ、中国のように社会信用システムによる評価でもありません。ましてや、これからはコンピューター取引や仮想取引に使われる株価だけではありません。公益と私益が融合する中で顔の見える人のいるパブリックカンパニーとしてのあり方が問われます。

もちろん個人の繋がるP2Pの時代にはブロックチェーン技術などによるデータ管理の意味づけ、そのデータの元ネタを遡るトレーサビリティこそ、その企業または集団の説明責任として厳しく問われる時代になるでしょう。そこに顔の見える人が主体となった企業活動がまざまざと見てとれることが社会から見て事業の持続性を担保することになるのではないでしょうか。自律分散型地域構想は生命体としてのヒトそのものの姿であり、その各地域の顔の見える個人がチームとして繋がって共感して企業や集団を形成するというような「領域を超えたクロスドメイン作用」こそ、食糧自給と自衛力も備えた本来の自立型エコノミーに向かう原動力となるでしょう。ヒトはライフフォームとしては一人でも生きていける奇跡ですが、人がチームになると楽しく、人が集まって生活する地域になると夢が広がります。そういう社会の希望を持つ個人が集まった「会社」が有事のデジタルリスクにも耐性を持って乗り越えていけると信じています。

リスクマネジメントの方向性

最後に、私たちは技術革新がもたらす今そこにある危機に直面しているのではないかということを繰り返したいと思います。

情報の拡大と共有化がＰ２Ｐネット世界のフラグメンテーション（断片化）を生むため、今後の中央集権化は暴走または崩壊する可能性があります。その危機の根幹はサーバーまたは国家資本主義経済にデータ資金決済と都市オペレーティングシステム機能のほとんどを奪われることです。デジタル情報化への信奉は決済手段と政治的信用度を一体化し、通貨主権が財産権・人権とともに他国に浸食されることで混沌とした実効支配を受けるリスクを含んでいます。

従って、情報化・電動化・知能化の進展による突発的なリスクに備えるために、現場での社会的相互認証を前提とする「再帰性における相互主義（Recurrent Reciprocity）」を優しい盾として、要素技術開発・通貨システム・都市システム・外交・自衛などの各場面に適用し、自律分散型地域構想による国民国土の強靱なレジリアンスを実現すべきだと思料いたします。

別添に自律分散型地域構想の研究、情報化・電動化・知能化の段階論を表すレジュメ、参考書籍を付記しましたのでご参照いただけると幸いです。なお、本書の記載は筆者個人の意見・仮説に基づいていますので、ご了承ください。また、本書の編集にご尽力いただいた方々に心より感謝しております。ありがとうございました。

1．経済性アプローチ

①行動原単位と活動領域の相関性
②居住費と移動費
③地域分散型（ブロックチェーン）の成立要件
④集合知と個別知の分類＝中央集権型か地域分散型か

2．オペレーティングシステム（ＯＳ）基盤構造の検討

①小売業、農林水産業と医療・公共サービスの関係性
②金融インフラ、移動インフラ、居住インフラの相違 ……経済形態の違い ・集合型インフラから個別型インフラへの転換におけるローコスト化 ……ブロックチェーン ・国家通貨から地域通貨へ ……大規模集配と地域多様性 ・集団移動行動型から個別移動型へ ……無線運転と自律運転の相違 ・自律型個別動作へ ……パートナーロボット@ Home の野外活用

4. 地域包括ケアプログラム(社会保障制度改革)

・居宅介護サービス、家族介護者の生活と就業

5．農林水産業の自動化領域

①拡張領域 ･･･ アシスト：ヒト装着型 （足首・膝・腰など）
②代替機能 ･･･ マシン：自律走行型 （無線漁業養殖・飼料ドローンなど）

6．自律分散型地域構想の
平時・有事におけるデュアルユース化

3．モビリティサービス・プラットフォームと自立型エコノミー

・上部構造が都市を中心とする国・都道府県の中央集権型ＯＳ（ＩＤ付与方式）
・下部構造は地域の自律分散型情報ネットワーク（相互認証方式）
→接続ＡＰＩの役割は、地域データを必要なときに必要なデータだけを上位にあげること

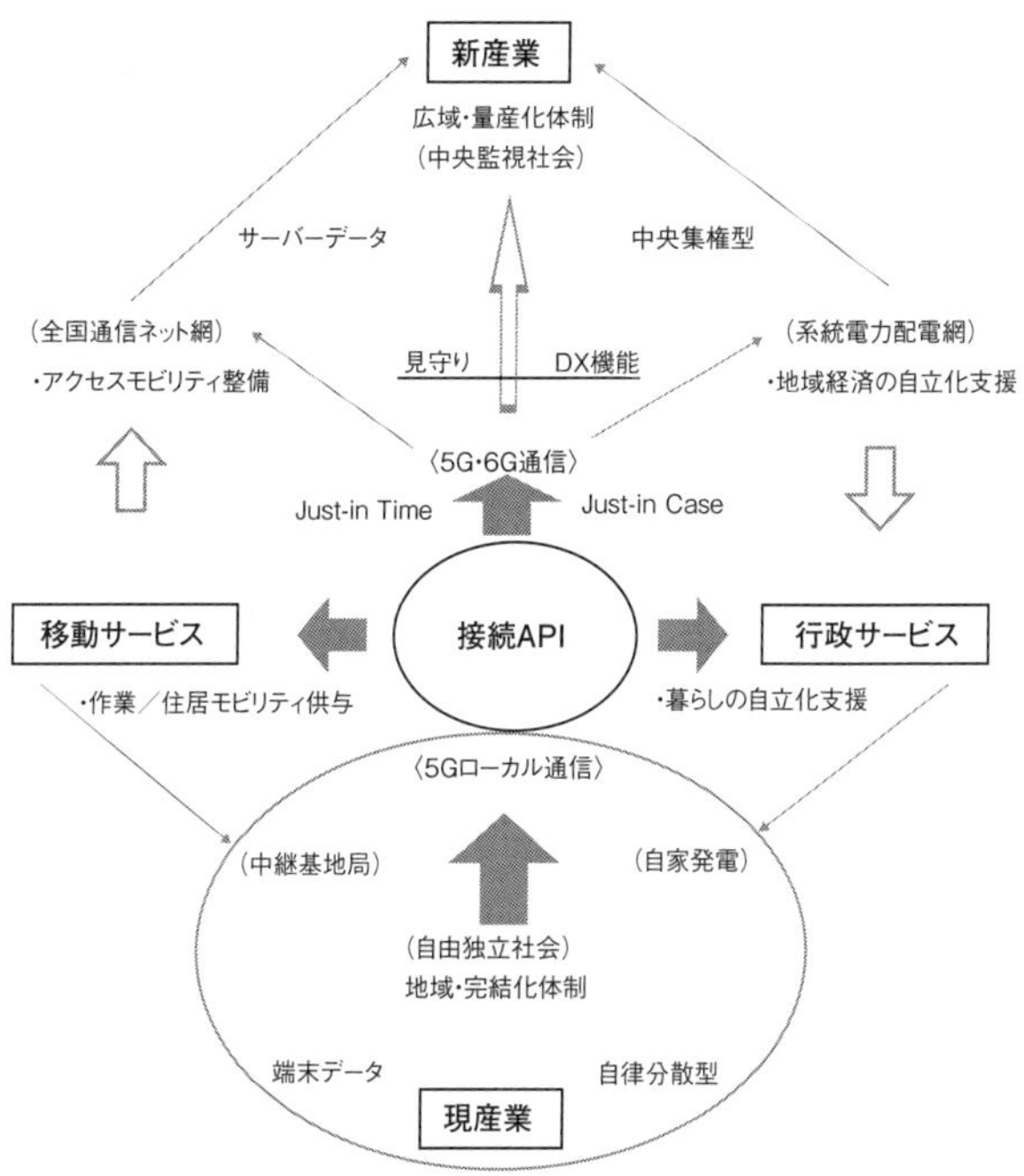

付記【情報化・電動化・知能化の発展段階】

1．情報化（カネ）：データログ活用　〔短期〕フラグメンテーション

現在のモビリティ進化要素はデータログのP2P活用段階でしかないため、個性（プライバシー）の判断ができないまま、情報のデジタル化とフラグメント化が進む

①デジタル化：情報の拡大と共有化が進み、人的媒介のない個人発信・到達の可能な社会へ

・電話→携帯（無線通信@言語）　現金（窓口・ATM）→ネット決済

・写真→動画（映像印象@視覚）　領域限定（紙・CD）→ネット拡散

②フラグメント化（断片化）：映像を動的視座から可視化し、仮想・作成された映像を現実に引き寄せる要素技術の進展　⇅　中央集権化データ解析の限界

Virtual Reality（仮想現実）→ Augmented Reality（拡張現実）→ Mixed Reality（複合現実）

2．電動化（モノ）：エネルギー活用〔中期〕オートノミー

次期モビリティにおけるエネルギー課題「電力供給の限界」は、データ主権の確立を通して身体財産を構成する原子レベルでの所有権（財産権）判断を行うエコな技術が必要

【日本が追求すべき要素技術】

・ブロックチェーン技術によるプログラムレベルでの所有権認証（Autonomy）
・量子コンピューターの多様な展開と量子対応の化合物半導体の省エネ化
・電池の固体化によりポータルサイトでの自律分散型モビリティ開発
・タンパク質ATP回路の有用性研究（機械から物理・化学へのシフト）
・弱いモビリティ・ロボティクス（ヒトとともにあるマシン）の追求

3．知能化（ヒト）：ヒューマン活用〔長期〕アンドロイド

☆再帰性における相互主義（Recurrent Reciprocity）を通したヒューマンモビリティ・ロボティクスの個性化

動ける、動かす、移動するモビリティ社会に向けて、アンドロイドとして、人に寄り添うHMI（Human Machine Interface）技術をin Car, in Robotics, in House で実現

〔参考書籍〕

「資本主義と民主主義の終焉」水野和夫・山口二郎　祥伝社新書
「人工知能と経済の未来」井上智洋　文春新書
「現代日本の地政学」日本再建イニシアティブ　中公新書
「米中経済戦争」福山隆　ワニブックスPLUS新書
「ブロックチェーン」岡嶋裕史　講談社
「新版　動的均衡　生命はなぜそこに宿るのか」福岡伸一　小学館新書
「脳の意識　機械の意識」渡辺正峰　中公新書
「つながる脳科学」理化学研究所脳科学総合研究センター　講談社ブルーバックス
「虚数はなぜ人を惑わせるのか」竹内薫　朝日新書
「科学者はなぜ神を信じるのか」三田一郎　講談社ブルーバックス
「光の量子コンピューター」古澤明　インターナショナル新書
「情と理　後藤田正晴回顧録」後藤田正晴　講談社

著者紹介

槇 祐治（まき　ゆうじ）

製造業の財務・法務・税務部門にてリスク処理を担当。欧州通貨危機・香港返還・米国同時多発テロを現地で経験した後、株主総会対応・ベンチャーファンド設立支援等を通して、日本の知能化技術の方向性に興味を持つ。著書に『純真なるキミへ ～未来のイヴに捧ぐ～』（小社刊）がある。

幻冬舎ルネッサンス新書 220

情報化・電動化・知能化のリスクマネジメント
～「中央統制」対「自律分散」～

2021年4月7日　第1刷発行

著　者　　槇祐治
発行人　　久保田貴幸

発行元　　株式会社 幻冬舎メディアコンサルティング
〒151-0051　東京都渋谷区千駄ヶ谷4-9-7
電話　03-5411-6440（編集）

発売元　　株式会社 幻冬舎
〒151-0051　東京都渋谷区千駄ヶ谷4-9-7
電話　03-5411-6222（営業）

ブックデザイン　　田島照久

印刷・製本　　中央精版印刷株式会社

検印廃止

ISBN978-4-344-93355-2 C0255
幻冬舎メディアコンサルティングHP
http://www.gentosha-mc.com/